A Rob,

lui sa perché...

I LEGGENDARI
LA PIETRA NERA

Angy Pendrake

I LEGGENDARI
La Pietra Nera

EDICART

© 2019 Storybox Creative Lab S.a.s. Milano
info@story-box.it

© 2019 by EDICART
EDICART è un marchio EDICART
Progetto e realizzazione editoriale: Storybox Creative Lab, Milano
Coordinamento editoriale: *Isabella Salmoirago*
Editing: *Manlio Francia*
Progetto grafico: *Yuko Egusa* - Far East Studio
Cover grafica: *Yuko Egusa*
Collaborazione redazionale: *Deborah Epifani*
Illustrazione di copertina *Daniele Solimene*
Mappa del Castello di Avalon: *Daniele Solimene*

Questo libro è un'opera di fantasia. Nomi, personaggi, luoghi e avvenimenti sono frutto dell'immaginazione degli autori o sono usati in maniera fittizia. Ogni somiglianza a eventi, luoghi o persone reali, vive o morte, è del tutto casuale.

Tutti i diritti sono riservati. Nessuna parte di questo volume può essere riprodotta, memorizzata o trasmessa in alcuna forma o con alcun mezzo, elettronico, meccanico, in fotocopia, in disco o in altro modo, compresi cinema, radio, televisione, senza autorizzazione scritta dell'Editore. Le fotocopie per uso personale del lettore possono essere effettuate nei limiti del 15% di ciascun volume/fascicolo di periodico dietro pagamento alla SIAE del compenso previsto dall'art. 68, commi 4 e 5, della legge 22 aprile 1941 n. 633. Le riproduzioni effettuate per finalità di carattere professionale, economico o commerciale o comunque per uso diverso da quello personale possono essere effettuate a seguito di specifica autorizzazione rilasciata da CLEARedi, Corso di Porta Romana n. 108, Milano 20122, e-mail info@clearedi.org e sito web www.clearedi.org

Avviso a tutti i lettori

―◆―・―◆―

*Non cercate di raggiungere Avalon
tuffandovi a caso nei laghi.
I passaggi per il Mondo Magico si apriranno
solo e soltanto per chi ha ricevuto la lettera
di invito da parte dell'Accademia degli
Eroi Leggendari e avrà superato le selezioni
con Merlino in persona.*

―◆―・―◆―

Prologo
La storia fino a ora

Avviso ai naviganti: quello che state per leggere è un riassunto delle puntate precedenti.
Quindi, chi ha già letto i primi due volumi, Le porte di Avalon *e* Gli Inganni di Morgana, *può tranquillamente saltare queste pagine e iniziare dal prossimo capitolo. Per tutti gli altri e per chi ha bisogno di rinfrescarsi la memoria, tenetevi forte, è in arrivo un riassuntone...*
Mi chiamo Angy Pendrake e pensavo di essere una ragazza qualsiasi, ma il giorno del mio sedicesimo compleanno ho ricevuto una strana pergamena che leggeva i miei pensieri, rispondeva alle domande che avevo in testa in modo bizzarro e un po' burbero, e mi invitava a partecipare a delle misteriose selezioni, e da quel momento la mia vita, divisa tra mondo

reale e mondo magico, è cambiata completamente. Mi sono ritrovata a frequentare l'Accademia degli Eroi Leggendari di Avalon, che prepara ragazzi e ragazze di tutto il mondo a diventare eredi degli antichi Leggendari. Lì ho conosciuto i miei più cari amici: *Rob, Tyra, Geira e Halil*, e con loro sono stata costretta a indagare sulla misteriosa sparizione di molti giovani Leggendari. Insieme abbiamo scoperto che la potente Morgaine, proprietaria della Lefay inc. di New York, non era chi diceva di essere. Le sue vere intenzioni non erano quelle di bonificare il lago di Central Park, infestato da una pericolosa specie di alghe, ma di violare le porte di Avalon. Purtroppo nessuno ha voluto crederci finché non è stato troppo tardi e noi siamo stati costretti a combattere da soli contro Morgana in una terribile battaglia sulla Soglia tra mondo reale e mondo magico, mentre tutti ad Avalon erano immersi in un sonno simile alla morte. Ci siamo salvati solo grazie a Excalibur, che ho ritrovato sprofondando nel Velo tra i due Mondi durante la battaglia: quando Morgana l'ha vista è rimasta sconvolta e ha abbandonato la lotta.
È stato allora che ho capito che anche lei, la più spietata delle incantatrici, aveva delle debolezze. Quanto fosse subdola, invece, l'ho scoperto a mie spese, molto più tardi...

Poco tempo dopo, infatti, mentre andavo a scuola, qualcuno mi afferrò e mi trascinò in un furgone misterioso, e mi ritrovai legata, in viaggio verso chissà dove. Ero stata rapita, come tanti altri Leggendari. Fu allora che Morgana mi salvò, conquistandosi la mia fiducia, e mi rivelò che l'autore dei rapimenti era Mordred, colui che aveva ucciso Artù durante la battaglia di Camlann e che un tempo era stato un suo alleato, e mi chiese di andare ad Avalon e convincere l'Alto Consiglio ad allearsi con lei, per sconfiggere il nemico comune. L'Alto Consiglio rifiutò di schierarsi con Morgana fino a quando le incantatici di Eea non ci rivelarono la terribile verità: Mordred stava cercando di recuperare la Pietra Nera, un potentissimo manufatto in grado di convogliare su chi la possiede il potere di tutti i maghi e gli incantatori del mondo, per usarla durante la Luna di Sangue, in cui il potere della pietra sarebbe stato al massimo.

Così, io e i miei amici siamo partiti per il Nepal, ma siamo arrivati troppo tardi, un gruppo di seguaci di Mordred aveva preso la pietra! Li abbiamo seguiti fino alla piana di Camlann, in Inghilterra, dove si era svolta la battaglia in cui era morto Artù. Durante questo folle viaggio intorno al mondo, Morgana ha avuto tutto il tempo di seminare discordia e inganni e di manipolarci, senza che ce ne rendessimo conto, facendo leva sulle nostre debolezze.

Attraverso un portale siamo riusciti a entrare nell'accampamento di Mordred, introvabile nel mondo reale, perché nascosto nella Soglia tra i Mondi. Lì erano imprigionati i nostri amici Leggendari, resi schiavi dalle ombre di Mordred, ridotti a burattini privi di volontà. Siamo riusciti a salvarne alcuni, ma scappando sono stata sfiorata da un'ombra, un tocco gelido come la morte.

Spinta dal desiderio di tornare indietro a salvarli tutti subito, sono arrivata al punto di lottare con Geira, che invece voleva solo recuperare la Pietra Nera. Così, quando è stato il momento di tornare ad Avalon, Geira non è venuta con noi: ha scelto di restare con Morgana. Ci aveva tradito.

L'unica cosa positiva di tutta questa terribile situazione fu che tornata a casa, proprio nel momento in cui la mia stessa ombra aveva preso vita e stava per attaccarmi, riuscii finalmente a evocare Excalibur. Ma nonostante avessi tanto desiderato farlo, non riuscii a gioirne...

Uno solo infatti era il mio pensiero: Morgana, la regina degli inganni era riuscita nel suo intento?

Era riuscita davvero a dividerci?

Il favoloso piano B

Ci misi poco ad accorgermi che qualcosa non andava. Qualcuno, o meglio *qualcosa*, mi seguiva. E non era umano. Erano ombre...

Sentii l'adrenalina scorrere nelle vene e aumentai il passo, cercando di non urtare le persone che arrivavano dalla direzione opposta alla mia.

Con la coda dell'occhio tenevo sotto controllo le ombre che i passanti proiettavano sui muri dei palazzi. Si giravano verso di me, si allungavano, si torcevano, protendendo le mani per toccarmi...

Non potevo lasciarglielo fare o sarebbe stata la fine.

Iniziai a correre, dandomi della stupida. Mi ero attardata troppo a fare ricerche in biblioteca, e quando uscii stava già calando il sole. La luce era diminuita, le ombre si erano allungate e io ero in pericolo, di nuovo.

Ero abituata: non era certo la prima volta che mi trovavo in quella situazione, e sapevo esattamente come comportarmi.

Per prima cosa dovevo evitare di seminare il panico tra gli abitanti di New York. E quello non era un problema perché, come sempre, erano tutti trafelati e presi dai loro pensieri e dai loro smartphone. Difficilmente avrebbero fatto caso a me. E, seconda cosa, dovevo trovare un angolo nascosto dove affrontare le ombre al riparo da occhi indiscreti.

Scartai di lato e mi infilai in un vicolo buio e puzzolente di uova marce. Sul muro di fronte a me, con i mattoni resi quasi incandescenti dalla luce del tramonto, la mia ombra si ingrandì a dismisura, si ingobbì e assunse un aspetto mostruoso....

La sua sagoma era bucata, strappata come un lenzuolo nei punti dove l'avevo colpita. Un attimo dopo, le ombre gettate dai pali della luce, dai cassonetti dell'immondizia e da una bicicletta scassata, si trasformarono a loro volta, assumendo forma umana. Mi circondarono, ma era proprio quello che io volevo.

Tesi la mano e con un lampo di luce accecante nel mio palmo apparve Excalibur, l'arma del mio antenato. La lama spezzata della spada sembrava bruciare alla luce del tramonto, come se fosse stata appena estratta dalla forgia.

«Bene, divertiamoci!» esclamai decisa.

In quel momento il sole calò, le ombre si staccarono dai muri e si gettarono verso di me. Prima che la più grande, originata dalla mia stessa ombra, potesse toccarmi, lanciai il braccio in avanti e gli affondai la lama spezzata di Excalibur dritta nel petto.

Con un sospiro, come uno sbuffo di fumo soffiato via dal vento, l'ombra si dissolse.

Mi girai rapidamente, prima che le altre potessero sommergermi, e con un fendente ne spazzai via due.

La quarta riuscì quasi ad afferrarmi, ma all'ultimo secondo saltai indietro e tranciai le sue braccia protese con un solo colpo. Il solo essere sfiorata dalla lama magica di Excalibur bastò per farla dissolvere con un impressionante sfrigolio.

Ce l'avevo fatta, da sola. Ma era stata dura...

Tirai un sospiro di sollievo e lasciai che la tensione mi scivolasse via dalle spalle. Di solito, le ombre ci mettevano qualche giorno a rigenerarsi: bene, per un po' sarei stata in pace.

Con il fiato corto, per l'attacco appena concluso, mi resi conto con orrore che ogni volta le ombre tornavano più numerose e più forti. E, soprattutto, sapevano sempre dove trovarmi.

All'inizio era una sola, la mia stessa ombra, a trasformarsi e ad attaccarmi, poi la situazione aveva continuato a peggiorare. Se fosse andata avanti così, ben presto le ombre sarebbero riuscite a sopraffarmi e ad avvolgermi completamente, trasformandomi in un fantoccio privo di volontà, com'era accaduto a Namid e agli altri Leggendari schiavi di Mordred.

Ripensai ai loro occhi assenti e rabbrividii. Ne avevamo tratti in salvo solo nove. Molti altri ragazzi, purtroppo, erano ancora intrappolati in quell'incubo orribile...

Mi sentivo così impotente! Non potevamo lasciarli in balia di Mordred, prigionieri del loro stesso corpo, dovevamo aiutarli. L'unico problema era capire come.

Da mesi ormai da Avalon c'era il silenzio radio.

Ogni settimana andavo al lago di Central Park, nella speranza che Viviana aprisse il passaggio per il mondo magico... e ogni settimana mi ritrovavo seduta per ore in una barchetta in mezzo al lago, a guardare il sole che sorgeva attorno a me e il mattino che avanzava.

La pergamena magica che Merlino utilizzava per comunicare con i suoi studenti, da mesi non era altro che un pezzo di carta, vecchio, ingiallito, e anche un po' puzzolente di muffa.

Anche per i miei amici era la stessa storia.

Eravamo soli, senza guida.

Se solo Geira non ci avesse traditi... pensai con un misto di rabbia e malinconia. Mi mancava Geira, e mi mancava anche Tyra. Mi mancavano i miei amici, insieme ne avevamo passate tante.

Stavo ancora rimuginando, quando Excalibur svanì. Riabbassai la testa e fissai stordita la mano vuota. Forse non avrei avuto più bisogno di lei, quel giorno.

Mi riscossi e guardai in alto.

Oltre i tetti dei palazzi di mattoni, le cime dei grattacieli più alti, rivestiti di finestre, riflettevano il cielo della sera, azzurro fumo, con le nuvole colorate di arancio dagli ultimi raggi del tramonto.

Ma che ti prende, Angy?! mi rimproverai aspramente, *Smettila di startene lì come un salame e datti una mossa!* Sicura che Excalibur sarebbe tornata da me qualora si fosse ripresentato il pericolo, approfittai della tregua: raddrizzai le spalle, uscii dal vicolo e imboccai le scale della metro. Destinazione: Biblioteca Pubblica di New York, tra la Quinta e la Sesta Avenue. Era la terza biblioteca che affrontavo quella giornata, e sperai vivamente che sarebbe stata l'ultima.

Nella metro, strizzata tra una vecchietta con una borsa sdrucita che emanava una nauseante puzza di cipolle, e un giovane rapper pieno di piercing e in preda alle convulsioni da ispirazione musicale, non avevo fatto altro che pensare alle mie ricerche. Volevo trovare informazioni sulla battaglia di Camlann, storia o leggenda che fosse.

L'orario di chiusura si avvicinava, perciò, non appena fui all'esterno, mi scapicollai fino all'ingresso della biblioteca incespicando sulla scalinata di marmo.

E lì sentii una carica di cavalleria provenire dalla mia borsa a tracolla. Sobbalzai: era il mio cellulare!

Poi mi ricordai che Nate, il nerd più buono e taciturno dell'universo, nonché il mio unico amico nel mondo reale oltre a Maggie, qualche giorno prima aveva cambiato la suoneria del mio smartphone con una pomposa carica di battaglia. Quando gli avevo chiesto perché l'avesse fatto, lui si era limitato a lanciarmi un'occhiata divertita, ed era stata Maggie a darmi la spiegazione al posto suo. «Beh... ultimamente non fai che correre, Angy» aveva dichiarato con un'intensa occhiata indagatrice. «Di' un po', vuoi allenarti per la prossima maratona di New York?»

Come no. Con le ombre di Mordred a farmi da spietati allenatori, avrei voluto rispondere. Ma come sempre avevo dovuto ingoiare la verità e improvvisare un sì in mezzo a una risatina isterica. A volte mi chiedo come fanno, quei due, a essere ancora miei amici. Io mi sarei già mandata a quel paese.

Maggie e Nate erano dei ragazzi normali, non sapevano niente del mondo magico, tantomeno dei Leggendari e del peso che l'eredità di Artù mi aveva scaricato addosso. E non dovevano saperlo, altrimenti i pericoli, in cui mi ero trovata immersa fino al collo da quando avevo scoperto dell'esistenza di Avalon avrebbero finito per travolgere anche loro.

Mentre mi perdevo in questi pensieri, il mio telefono continuava a squillare imperterrito. Mi affrettai a ravanare nelle tasche per rispondere: potevano essere i miei genitori che mi avvisavano che avrebbero fatto tardi, e che mi conveniva ordinare la cena da asporto.

Sullo schermo, però, era apparso un altro nome. Accettai la chiamata. «Sì... Rob...» ansimai reggendomi a una colonna di marmo dell'ingresso.

«Ehm...» sentii esitare dall'altra parte. «Sei... Angy, vero? Angy Pendrake?»

«No» risposi laconica. «Angy aveva bisogno di una vacanza permanente e si è trasferita alle Maldive.»

Silenzio. Poi: «Sul serio?»

«Rob, stupido, sono io!»

Rob parve sollevato. «Ah, mi sembrava che fossi figlia unica! Scusa, ma hai una voce, che ti è successo?»

Mi appartai lontano dall'ingresso per evitare che i frequentatori della biblioteca captassero parole come "magia" o "Avalon". «Hai presente quella mia... amica appiccicosa che non mi lascia mai in pace? Quella che esce solo dopo il tramonto?»

«Certo, ho presente... Quella che ti ha seguito fin dall'Inghilterra, e che si presenta sempre senza essere invitata, giusto?»

«Proprio lei. Abbiamo appena avuto un incontro faccia a faccia, e anche stavolta ha portato degli amici.»

«Accidenti» mormorò Rob, che intanto sentivo armeggiare con qualcosa. Poi esclamò, con la voce più acuta di due ottave: «Ma tu stai bene?!»

«Sì... era lei, Rob. È sempre la stessa.»

«Sicura? Insomma, ormai ne hai sforacchiate parecchie, come può essere la stessa?»

«Ne ho sforacchiate parecchie, ma anche parecchie volte la stessa. È lacerata proprio nei punti in cui l'ho già colpita, è lei, ti dico!»

Mi grattai la fronte, non riuscivo a capire perché quell'ombra ce l'avesse tanto con me. Accorgendomi di avere smesso di parlare per enigmi, alzai lo sguardo per vedere se qualcuno mi stesse ascoltando. Ma per fortuna, tutti quelli che scendevano le scalinate della biblioteca sembravano presi dai loro affari.

«Accidenti... Ma come fanno a trovarti ogni volta? Voglio dire, dopo che le hai scacciate dovrebbero levare le tende!»

«Chi lo sa» mormorai. Non volevo confessargli i miei timori, cioè che fosse il tocco gelido di Mordred ad avermi marchiato e a rivelare la mia posizione alle sue ombre. Non volevo che si preoccupasse.

«Comunque, è assolutamente necessario capire cosa ci sta succedendo, e se è successo a qualcun altro nella storia. È anche per questo che voglio fare ricerche in biblioteca. Magari riesco a trovare qualcosa, qualsiasi cosa...»

«Correggimi se sbaglio, non è la decima biblioteca di New York che consulti questa settimana?»

Sospirai, stanca. «L'undicesima.»

«Ma non ti sembra assurdo cercare queste risposte nelle biblioteche del mondo reale?»

«Hai in mente delle alternative? I passaggi sono chiusi e non sappiamo perché e le ombre continuano a seguirmi. L'unica possibilità che ho, per ora, è fare ricerche nella speranza che qualcosa salti fuori. Non posso certo arrendermi!»

«Certo che no. Dico solo...» continuò mentre i rumori in sottofondo crescevano. Ma cosa stava facendo? «Che secondo me dovremmo passare al piano B.»

«Noi non abbiamo un piano B.»

«Tutti gli eroi hanno in tasca un piano B» decretò, solenne.

Sospirai. Non mi sentivo certo eroica in quel momento. Ma non volevo certo essere proprio io ad azzoppargli l'entusiasmo... in quel momento, era la nostra risorsa più preziosa. Se non l'unica che avevamo. «Sentiamo questo piano...»

A quel punto udii un terribile schianto, come di cocci rotti sul pavimento. «Rob?»

«Oh, no! Ok, ascoltami bene, devo fare in fretta, sono quasi nei guai!»

«Quasi?»

«Lascia perdere. Ho sentito Halil, è da qualche giorno che ne parliamo. Stiamo mettendo a punto un piano favoloso. Il favoloso piano B. Cioè... non è che sia proprio un piano, però...»

«Rob, sputa il rospo!»

«Ok, senti qua. Siamo i Guardiani della Soglia, giusto? Ma non possiamo fare la guardia a un bel niente, se non riusciamo ad accedere al mondo magico, dove potremmo trovare insieme una soluzione. Perciò Hal e io abbiamo pensato che dovremmo riunirci tutti nel mondo reale. Io potrei venire a New York. Poi noi due potremmo andare fino a Los Angeles, dove ci raggiungerà anche Halil. La casa di Tyra sarà il nostro quartier generale, da lei sarà più facile, abita da sola.»

«Be', non proprio *sola*. Ti sei forse dimenticato delle sue adorabili coinquiline! Non penso che saranno tanto entusiaste dell'invasione...» gli ricordai.

Rob ignorò la mia battuta. «E comunque ha davvero

bisogno del nostro appoggio, ora.»

Questo era vero. Il tradimento di Geira aveva ferito tutti, ma mentre io, Rob e Hal reagivamo al dolore, Tyra si era addossata ogni colpa, e ora sembrava come spenta. I nostri messaggi e le nostre telefonate si erano ridotte a monosillabi.

Ero preoccupata, avevo paura che si stesse allontanando. Aveva persino smesso, incredibile, di postare sui social, nonostante fosse un'influencer seguitissima.

«Va bene» conclusi, «credo anch'io che sia un ottimo piano B. Solo che... insomma, senza il sostegno di Morgaine Lefay, non abbiamo più nessuno che ci scarrozzi gratis ai quattro angoli del mondo. Ci vorrà del tempo per organizzarci.»

Sentii Rob ridacchiare. «Io sono già all'opera, piccola! Ho trovato un lavoretto part time per racimolare i soldi del viaggio.»

Aveva un tono così entusiasta che non faticai a immaginare il suo sorriso contagioso, decorato dal buco di un incisivo mancante.

«Sono un cameriere di Peppino, adesso! *Pizza da Peppino*» puntualizzò. «Viene da Napoli ed è il miglior pizzaiolo di Toronto. Se per la fine del turno non gli rompo neanche un piatto, ho una pizza gratis!»

«Ossignore» mormorai scrollando la testa. «Sei ovunque ci sia del cibo, tu.»

«Ehm... temo che oggi resterò a bocca asciutta, però.»

Intanto sentii una voce roca che strillava, da chissà quale angolo del locale: «Robert Lockwood! Quello faceva parte del mio servizio migliore, se ne rompi un altro ti ficco nel forno insieme alla prossima pizza Margherita!»

«Addio, Angy. È stato bello conoscerti.»

Fu la fine melodrammatica della nostra chiacchierata e io mi ritrovai a fissare uno schermo nero. La biblioteca intanto aveva chiuso i battenti.

Addio ricerche.

Mi avviai mogia alla fermata della metro per tornare a casa. Stavolta, però, avevo un favoloso piano B che intendevo mettere in atto al più presto. Dovevo solo racimolare dei soldi e inventarmi l'ennesima scusa per allontanarmi da casa per un po'.

La metro, inaspettatamente, venne in mio soccorso. Sui tabelloni pubblicitari di fronte alla mia banchina, campeggiava un enorme, meraviglioso segno del destino: «Se vuoi far brillare il tuo futuro, vieni a conoscere la prestigiosa UCLA, l'Università della California, nell'incredibile

città di Los Angeles!»
Sorrisi tra me... mi stava venendo un'idea.

Ancora bugie... e viaggi!

Il primo ostacolo per andare a Los Angeles era ottenere il permesso dei miei genitori.
Ma per una volta, le circostanze giocavano a mio favore: i miei genitori si erano conosciuti e innamorati nel campus dell'UCLA. Bastava nominarla perché i loro occhi si illuminassero come quelli di un ragazzino.

Per mettere in atto il mio piano, aspettai la domenica. Per una volta i miei genitori non erano di turno in ospedale, e da giorni avevamo pianificato di fare colazione assieme, come una *vera* famiglia.

Ci trovavamo tutti in salotto davanti a un brunch in piena regola: pancake con panna montata e mirtilli freschi, e toast alla benedict, con avocado e uovo, i miei preferiti.

A quel punto mi bastò pronunciare le parole "open day all'UCLA" mentre mio padre mi passava il piatto dei pancake, per avere la vittoria in pugno.

Immediatamente i miei genitori da assonnati si fecero sveglissimi. Parevano elettrizzati come bambini la mattina di Natale. «Vuoi andare all'UCLA? Che bella notizia!» esclamò mia madre.

Mio padre sospirò, lanciando a mia madre un'occhiata sognante. «È bello che nostra figlia segua la tradizione di famiglia... non credi cara?

Colsi la palla al balzo e mostrando ai miei genitori un sorriso farcito di pancake, tirai la stoccata finale. «È anche per quello che mi piacerebbe andare lì... vorrei proprio ripercorrere le vostre orme.»

La mamma si sporse sul tavolo per prendere lo sciroppo d'acero. «La UCLA ti piacerà, vedrai!» esclamò, felice come una ragazzina. «Per me e papà quegli anni sono stati un'esperienza indimenticabile!»

Prima che potesse raccontare dettagli imbarazzanti, andai dritta al punto. «Quindi mi date il permesso di andare a Los Angeles?»

Mamma e papà si guardarono un momento. Poi: «Certo!» esclamarono in coro.

Era fatta! Mi sentivo molto in colpa per quell'ennesima bugia, ma era indispensabile. Dovevo assolutamente incontrare i miei amici, soprattutto Tyra, e stabilire con urgenza un piano d'azione. Mordred aveva ancora in mano la Pietra Nera e molti ragazzi erano rimasti nelle sue sgrinfie, ridotti poco più che a larve, o manovrati come burattini.

L'indomani mattina caricai lo zaino da campeggio sulla schiena e, dopo seimila raccomandazioni come se stessi partendo per la luna, diedi un bacio ai miei genitori e scesi in strada, diretta all'aeroporto di La Guardia.

Mezz'ora dopo, mi aggiravo nel terminal degli arrivi, lanciando di tanto in tanto occhiate spazientite al grande orologio a muro appeso sopra la sala d'aspetto.

Le porte si aprirono, e i passeggeri in arrivo cominciarono a riversarsi nel salone.

Allungai il collo, in cerca di un volto familiare…
Non fu difficile trovarlo.

Rob era molto alto e la sua massa di capelli rossi spiccava immediatamente oltre le teste degli altri passeggeri.

Sentii come se il mio cuore si allargasse per l'improvvisa ondata di affetto che mi colse nel vederlo. Il mio amico! Erano mesi che non ci vedevamo di persona. Mi sentii improvvisamente sollevata e rilassata, come se le preoccupazioni degli ultimi giorni si fossero dileguate.

Saltellai per farmi vedere tra la folla, perché ero molto più bassa della maggior parte dei presenti.

Rob mi raggiunse con pochi grandi passi. Indossava una camicia a scacchi e pantaloni troppo corti, che lasciavano intravedere un pezzo di caviglia. Sulle spalle aveva un grosso zaino sportivo, a cui era legato uno skateboard.

Ci salutammo alla nostra maniera, pugno contro pugno.

«Allora, com'è andato il viaggio?»

«Liscio come l'olio e, uh! Non mi hai ancora chiesto come faccio a essere qui!»

Lo fissai, perplessa. Cosa mi era sfuggito?

«La condanna ai lavori socialmente utili per quel videogioco rubato...» mi ricordò Rob, allargando le lunghissime braccia che per poco non mandarono a terra un'intera famigliola in vacanza.

«Oh!» esclamai. «È vero, scusami! Quindi sei qui perché...» di colpo mi venne un atroce sospetto. «Non avrai disertato, spero!»

«Disertato!?» esclamò lui portandosi una mano al petto con ostentata indignazione. «Mai. Quella parte della mia vita è passata! Sono sulla diritta via adesso. Al contrario:

sono stato così bravo che il giudice mi ha concesso un permesso premio, posso andare dove voglio per due settimane! Sono un altro Robert Lockwood, adesso. Ho anche pagato alcune bollette per l'associazione in cui svolgo il servizio con i miei risparmi, ma questo non lo sa nessuno...»

Restai di stucco. Solo pochi mesi prima non avrebbe mai fatto una cosa del genere. Era veramente cambiato...
«Wow. Sono fiera di te!»

Le guance di Rob si infuocarono. Stava per dire qualcosa, ma i miei occhi ricaddero sul grande orologio a muro della sala d'aspetto e mi venne un colpo.

«Siamo in ritardo per l'autobus!» strillai, agganciando la manica della sua felpa «Corri, o lo perdiamo!»

Ci fermammo soltanto al Port Authority Bus Terminal. Il nostro autobus aveva il motore acceso ed era pronto a partire, perciò gettammo gli zaini nel vano bagagli e saltammo a bordo appena prima che le porte si chiudessero.

«Biglietti, prego» borbottò il controllore, scrutandoci con disappunto. Glieli allungammo con il fiatone, dopodiché prendemmo posto in fondo, negli unici due sedili rimasti vuoti.

Le ore successive le passammo a raccontarci tutto quello che avevamo fatto dall'ultima volta che eravamo stati ad Avalon e che non avevamo potuto dirci per telefono. Chiacchierammo a raffica, di tutto e di niente, finché, calata la sera, l'autobus fece la sua prima fermata a Philadelphia.

Avevamo un po' di tempo per una sosta in bagno e per rifocillarci alla tavola calda della stazione di rifornimento.

«Muoio di fame!» disse Rob mentre scendeva dall'autobus, stiracchiandosi come un gatto.

In quel momento notai che sembrava diverso. Erano muscoli, quelli che gli disegnavano le spalle? Da quando Rob aveva... muscoli? *Il lavoro manuale per il servizio civile gli sta proprio facendo bene, non c'è che dire...* pensai.

«Allora, corsetta in bagno e poi alla tavola calda?» mi propose facendomi l'occhiolino. «Non voglio che gli altri passeggeri finiscano tutto!»

Presa di sorpresa, per poco non caddi dall'ultimo scalino. Ripresi miracolosamente l'equilibrio e partii come un razzo. «Tanto arrivo prima io, brocco!»

In bagno mi diedi della stupida. *Ma si può essere così imbranati?* mi dissi, mentre mi rinfrescavo il viso. Poi non so come mi ritrovai a pensare a quello che mi aveva rivelato Halil, a proposito di Rob.

Rob, una cotta per me? Non mi pare proprio... Halil ha

le traveggole, questo è certo! Ne abbiamo passate tante insieme noi due. Siamo amici, molto amici, tutto qui.

Risollevai la testa e studiai il mio riflesso allo specchio, con la fila di toilette dietro di me.

Fu un lampo. Scorsi un movimento repentino alle mie spalle e mi voltai di scatto trattenendo il fiato.

Me l'ero immaginata? Passai in rassegna le porte grigie delle toilette, tutte vuote. A parte l'acqua che scorreva nel lavandino e il mio cuore che batteva forte, non sentivo altri rumori. Per scrupolo, mi abbassai e, con cautela, sbirciai da sotto le porte.

Niente. C'ero solo io in quel bagno.

Ripresi a respirare, ma quando tornai di nuovo al mio riflesso, la vidi. La luce dorata del tramonto che filtrava oltre la finestrella del bagno mi colpiva in pieno, proiettando sul muro alle mie spalle un'ombra netta.

Davanti ai miei occhi, quell'ombra si allungò e prese vita. Si ingrandì e si ingobbì, e al centro del suo corpo mostruoso si disegnarono tagli e lacerazioni dai bordi frastagliati, che facevano passare la luce del sole, come se qualcuno l'avesse trafitta più e più volte.

Sospirai, già esausta. Mordred mi aveva trovata. E ancora una volta avrei dovuto combattere.

Per fortuna, questa volta l'ombra è una sola.

Non feci nemmeno in tempo a pensarlo, che nel riflesso dello specchio vidi che, alle mie spalle, le toilette erano completamente in ombra. E quelle ombre cominciarono a gonfiarsi e a strabordare oltre le pareti dei cubicoli, scivolando giù verso il pavimento, dense come petrolio.

Mi voltai con uno scatto, ma le ombre presero vita, assumendo l'aspetto di guerrieri informi, e si gettarono verso di me.

Evocai Excalibur giusto in tempo per tagliare via il braccio proteso di un'ombra prima che mi toccasse, ma non riuscii a trattenere un grido di allarme.

Ero circondata, e lo spazio di manovra era molto piccolo. Mi rintanai con la schiena a ridosso del muro, sull'unico quadrato di luce che la finestrella ritagliava sulle ombre del pavimento. Ma era uno spazio che si restringeva sempre di più, man mano che il sole calava. Indietreggiai, agitando Excalibur davanti a me per tenere lontano le ombre che mi assediavano. La lama spezzata era molto corta, il che voleva dire che dovevo lasciare che le ombre si avvicinassero molto, troppo, prima di riuscire a colpirle.

Presto mi trovai con le spalle al muro.

Prima ero stata troppo spaccona, avevo abbassato la

guardia e adesso ero circondata. Chiusi gli occhi solo per un istante e pensai: *Excalibur... Artù... se ci sei, dammi una mano. Ho bisogno della tua forza!*

Quando aprii di nuovo gli occhi, il sole tramontò alle mie spalle e l'ultimo triangolo di luce che colpiva il pavimento, il mio ultimo rifugio, sparì e le ombre si avventarono su di me.

Con un ultimo disperato gesto fendetti l'aria davanti a me con l'elsa di Excalibur.

Dalla lama spezzata, partì una vampata di luce, un prolungamento della spada stessa, che squarciò le ombre, creando una specie di varco, simile a un buco aperto da un soffio di vento in una spessa coltre di fumo.

Colsi l'occasione e mi tuffai nel varco che si era creato tra le ombre, rotolai sul pavimento umido del bagno, e mi rialzai davanti al maniglione antipanico della porta, su cui mi appoggiai con tutto il mio peso.

La porta dei bagni si spalancò davanti a me e mi ritrovai immersa nella luce fredda dell'autogrill.

A un palmo da me, il volto preoccupato di Rob.

«Angy... tutto bene? Ti abbiamo sentito gridare ma la porta non si apriva!»

Sporsi la testa per sbirciare oltre la sua spalla e mi

accorsi che c'era una fila di donne, dietro di lui. Tutti mi scrutavano in attesa di spiegazioni.

Mi schiarii la voce e annunciai, cercando di mantenere il contegno: «La porta è difettosa. Ma adesso funziona.»

Quando finalmente ci sedemmo alla tavola calda, raccontai a Rob quello che era successo.

Gli andò di traverso il doppio cheeseburger, poi mi fissò a occhi sgranati. «Potevi lasciarci le penne» bisbigliò concitato. «Ti rendi conto? Non puoi andare avanti così!»

Gli rivolsi un sorriso, grata di avere un amico come lui. «Sto bene...» lo tranquillizzai.

In realtà non riuscivo a smettere di tremare.

Rob se ne accorse, perché la sua espressione si indurì. E io, ancora una volta, restai colpita dalla determinazione che gli infervorava gli occhi nocciola. «Dobbiamo trovare il modo di andare ad Avalon. Tutti insieme, ma al più presto. E d'ora in poi, Angy, non mi allontanerò da te.»

«Ah, messere... avete intenzione di seguirmi anche in bagno?»

Questa volta Rob scoppiò a ridere sputacchiando Coca-Cola ovunque. Mentre gli altri clienti ci lanciavano sguardi di riprovazione, ci affrettammo ad asciugare quel disastro con i tovagliolini, ridendo come matti.

Dormii quasi tutta la notte, mentre il nostro autobus ci portava più vicini a Los Angeles e a Tyra.

Le poche volte in cui mi svegliai fu perché mi accorsi che stavo crollando sulla spalla di Rob e mi rialzai di colpo.

Non ci sarebbe stato niente di male se, nel sonno, uno dei due finiva per appoggiarsi all'altro. Era già successo, ricordai. Siamo amici e, tra amici, capita.

Ma la verità era che non sapevo più come prendere la cosa...

Perché Halil mi aveva rivelato che Rob aveva una cotta per me? Accidenti a lui, prima, passare del tempo con Rob era la cosa più naturale al mondo. Adesso era tutto infinitamente più complicato.

«Angy.»

Hai capito, Rob? Siamo solo amici.

«Angy?»

Non mi infastidire, sto cercando di ragionare.

Rob tossicchiò sfiorandomi appena una guancia.

«Stimatissima madamigella Angelica Pendrake, l'Assemblea degli Eroi Leggendari vi chiama a rapporto. Fosse per me vi lascerei dormire, oh non sa quanto, ma devo proprio fare pipì e non posso scendere dall'autobus, se voi cortesemente non vi spostate dal mio collo.»

Balzai in piedi come una molla e aprii gli occhi gonfi di sonno su una doppia fila di sedili vuoti. «Eh, cosa, chi?!»

Rob, accanto a me, soffocò una risata.

Mi girai a guardarlo. Era una versione più arruffata del Rob che conoscevo. E già quella era abbastanza arruffata. «Ho dormito sulla tua spalla?

«Ehm... sta diventando un'abitudine, signorina Pendrake!» disse, alzandosi e ciondolando verso le portiere aperte. «Io scendo, vuoi qualcosa dal bar?» mi chiese senza voltarsi. «Approfittiamone, l'autista ha detto che staremo fermi mezz'ora. Non so tu, ma io ho una fame!»

Ovviamente.

Ci lavammo in modo sommario nelle toilette, rimanendo a turno fuori dalla porta, tuttavia trangugiammo la colazione sentendoci dei cassonetti ambulanti, sporchi e ammaccati, desiderosi solo di arrivare a destinazione.

Il resto del viaggio trascorse più o meno senza scossoni, a parte quando ebbi la sensazione di essere spiata, come quando qualcuno ti fissa da dietro in modo insistente.

Alla trentesima volta in cui mi beccò a guardare fuori dalla vetrata posteriore dell'autobus, Rob mi chiese, ridacchiando: «Hai dimenticato Excalibur sul bancone del bar?»

Aggrottai la fronte, perplessa. «Non ti sembra che quel

furgone nero abbia qualcosa di familiare?»

Rob allungò lo sguardo oltre il vetro. «In effetti assomiglia proprio a uno dei mezzi della Lefay. Secondo te ci seguono?»

«Non lo so. Ma la cosa mi puzza.»

«Al momento, la cosa che puzza di più sono io...» borbottò Rob, e io non potei fare altro che dargli ragione: avevamo entrambi urgente bisogno di una doccia.

Passammo buona parte del viaggio a dormicchiare e a fare congetture su cosa poteva essere accaduto ad Avalon. Sapevamo dai loro sms che neanche Halil e Tyra erano riusciti a passare ad Avalon. I passaggi erano chiusi.

Perché Viviana non li riapriva?

E perché le nostre pergamene erano diventate totalmente inutilizzabili? Nessun messaggio, nessuna comunicazione, nessuna raccomandazione di Merlino...

Doveva essere successo qualcosa di grave.

La situazione ci pareva così disperata che quando il nostro autobus bucò una gomma nel cuore della notte e l'autista disse che avrebbe impiegato almeno un'ora per cambiarla, Rob e io ne approfittammo per tuffarci in un laghetto nei pressi della statale 70.

Eravamo nel cuore di uno dei parchi nazionali che si

trovavano lungo il tragitto, l'aria era limpida e piacevolmente tiepida, odorosa di terra umida e resina di pino. Ma non fu certo per questo che decidemmo di farci un bagno. Ciò che volevamo, in realtà, era vedere se per caso quel laghetto non potesse diventare un passaggio per Avalon.

Il risultato fu molto più divertente, oltre che imbarazzante, di quanto avessi mai potuto immaginare.

Non passammo nell'oceano magico, ma finimmo per spruzzarci acqua addosso, ridere a crepapelle e inseguirci nell'acqua bassa come due stupidi.

Purtroppo i nostri schiamazzi richiamarono l'attenzione degli altri passeggeri che erano scesi dall'autobus per sgranchirsi. Con il risultato che, quando fu il momento di ripartire non volevo più uscire dall'acqua. L'ultima cosa che volevo era sembrare... miss maglietta bagnata!

Rob da vero cavaliere si offrì di farmi da scudo fino ai nostri zaini, ma io avrei voluto sparire per l'imbarazzo. Ci cambiammo a turno nel vano bagagli, mentre l'autista minacciava ritorsioni e gli altri passeggeri rumoreggiavano scandalizzati.

Poi finalmente ripartimmo per Los Angeles.

La "nostra" meravigliosa Tyra

«Sei sicura che l'indirizzo sia giusto?» mi domandò Rob, guardandosi attorno smarrito.

Eravamo arrivati a Los Angeles con due ore di ritardo, stanchi e sudati, le facce stropicciate e una tremenda voglia di farci un bagno. Uno vero.

Controllai per la quinta volta il foglietto spiegazzato che tenevo tra le mani. «Sì, Tyra mi ha dato l'indirizzo mesi fa per andare a trovarla, quando ancora...» stavo per dire: "quando ancora Geira abitava con lei", ma ingoiai il resto della frase e continuai a camminare lungo il marciapiede. Lo zaino sulle spalle cominciava a pesarmi tremendamente e non vedevo l'ora di posarlo da qualche parte.

«Cioè, wow, guarda che roba...» continuò Rob, abbracciando l'intero quartiere con uno sguardo eloquente. «Beh, però! Quando Tyra ci ha detto che viveva da sola, mi immaginavo un appartamentino da studentessa in condivisione, non che stesse in un quartiere da urlo!»

«Beh, io invece me lo aspettavo. È molto in gamba, è una famosa fashion blogger e la sua linea di abiti va letteralmente a ruba on line!»

Rob fece un fischio ammirato tra i denti. Poi aggiunse pensieroso, quasi tra sé e sé: «Anche io non sono messo male: i miei sono due famosi avvocati. Sono un privilegiato e non ci facevo neanche caso. Davo tutto per scontato, ma non lo è. Da quando faccio il servizio civile mi sto chiedendo se sia giusto: c'è chi ha troppo e chi invece non ha niente...»

«Hai ragione, anche io lo penso spesso. Ed è una cosa di cui noi come Leggendari dovremmo occuparci, qui nel mondo reale, non credi? Anzi sai cosa ti dico? Quando tutto questo casino di Avalon sarà finito, è qui che voglio impegnarmi, per cercare di cambiare le cose. Magari potremmo inventarci qualcosa insieme...»

Era qualcosa di molto importante per me, di cui non avevo ancora parlato con nessuno e mi stupii di averlo condiviso con Rob. Stavo per approfondire il discorso, ma mi fermai di colpo. Eravamo arrivati al numero civico di Tyra. «Lì!» indicai.

Si trattava di un complesso di appartamenti disposti a ferro di cavallo intorno a un grazioso prato inglese e a una piscina. All'ombra di grandi aranci, c'erano divanetti, panchine e morbidi cuscini, mentre dai rami più bassi pendevano drappi di stoffa coloratissima a mo' di separé.

«Stupendo!» esclamai, ammirando l'effetto d'insieme allegro e rilassante. «Coraggio, andiamo.»

Davanti alla porta di Tyra, sfoderammo il nostro sorriso migliore. Che purtroppo non durò a lungo.

«Sorpreee...» Il resto dell'esclamazione si ridusse a un mormorio sconcertato.

Tyra era venuta alla porta come non l'avevamo mai vista: struccata, sepolta in un golf tarmato di due misure più grandi, con le occhiaie che le arrivavano quasi fino al mento. I suoi capelli, solitamente una nuvola di ricci strettissimi e perfetti, erano raccolti in cima alla testa alla bell'e meglio. Ero così abituata a vederla sempre impeccabile, anche appena uscita da una battaglia, che stentavo quasi a riconoscerla.

«Tyra!» esclamò Rob «hai un aspetto spaventoso!»

«Senti chi parla!» rispose Tyra alzando a malapena gli

occhi su di lui. «Sembrate due zombi.» Ma si fece da parte e ci invitò a entrare.

La sua casa era incredibilmente bella, ariosa, elegante, arredata con il buon gusto che ero solita vedere in Tyra. Ad uno sguardo più attento però, vidi vestiti appallottolati qua e là, carte per terra, i vetri opachi di ditate... Sembrava che qualcuno, forse le coinquiline, stesse cercando di contenere il disordine ma non fosse in grado di evitare che il caos interiore di Tyra lasciasse le sue tracce.

Chissà cosa stava passando per lasciarsi andare così...

Mi tenni le domande per dopo e lasciai che Tyra ci stringesse in un abbraccio collettivo.

Mezz'ora dopo eravamo seduti nel suo ampio salotto, lavati, cambiati e rifocillati da una gustosa merenda a base di spremuta d'arance della California e biscotti alla cannella. Io continuavo a lanciare occhiate di traverso a Tyra.

Ancora più del disordine che sembrava regnare su di lei e attorno a lei, mi preoccupava il suo sguardo spento, rassegnato.

Temevo di sapere la causa di tutto ciò. Tyra era stata colpita duramente dal tradimento di Geira, e sospettavo, anzi ne ero quasi certa, che se ne ritenesse colpevole. Ero convinta che quello che era successo non fosse colpa di nessuno di noi. E ci tenevo a farglielo sapere... bisognava solo capire come far partire quella difficile conversazione.

Stavo ancora pensando a come iniziare il discorso, quando con uno sferragliare di chiavi la porta di ingresso si aprì.

Entrarono due ragazze di circa vent'anni, entrambe con una tazza di caffè take-away in mano. Erano vestite in maniera accuratamente trasandata, come se ogni grinza dei vestiti e strappo sui pantaloni fosse perfettamente calcolato. I loro abiti avevano un sapore vagamente retro, come se fossero stati pescati da un negozio dell'usato, ma erano perfettamente abbinati alle loro scarpe firmate e alle loro borse, che avevano l'aria di costare quanto un mese di stipendio dei miei genitori.

Appena notarono due presenze estranee sul divano, uno con la bocca piena di biscotti e l'altra con i capelli ancora umidi che le gocciolavano sulle spalle, si pietrificarono. «Oh... non ci avevi detto che avremmo avuto ospiti, Tyra» disse la più alta, con i capelli biondi legati in un nodo sopra la nuca, scarmigliato ma elegante, che faceva un effetto "appena uscita dalla lezione di yoga" che probabilmente aveva impiegato ore per ottenere.

L'altra, con i capelli cortissimi, orecchini a cerchio,

e sottili occhiali d'oro, ci guardò arricciando il naso. «Se l'avessimo saputo avremmo... portato delle ciambelle.»

Rob ingoiò rumorosamente il suo boccone. «Ah, peccato... sarebbe stata una cosa fantastica! Comunque piacere, Robert Lockwood.»

Le ragazze lo guardarono a bocca mezza aperta, gli rivolsero un sorriso falso e un "ciaaaaooooo!" eccessivamente allegro, e lanciarono a Tyra un'occhiata interrogativa.

Abbandonata ogni pretesa di affettata buona educazione, Sarah sbottò: «Hai di nuovo invitato gente senza dircelo? Guarda che non sei l'unica a pagare l'affitto in questa casa!»

L'altra annuì. «Siamo state gentili quando Geira è venuta ad abitare qui, non abbiamo detto niente... Ma adesso basta! Non puoi portarci altri "ospiti" così senza dircelo. È stato già abbastanza traumatico avere lei che gironzolava per casa senza parlare a nessuno, come un fantasma depresso... e per di più senza alcun senso estetico!»

Tyra le lanciò un'occhiata che avrebbe potuto far cagliare il latte. «Parli veramente di senso estetico? Mentre stai abbinando una stampa a fiori con una maglia a righe?»

Prima che Sarah trovasse le parole per ribattere, Tyra continuò: «Voglio mettere le cose bene in chiaro: non permetterti di parlare male di Geira, hai capito? Non sai niente della sua vita e di quello che ha passato. Magari aveva i suoi motivi per essere "depressa" in quel modo che ti dava così fastidio! Magari se voi foste state più carine con lei e l'aveste fatta sentire a casa, invece di passare tutto il tempo a parlarle alle spalle, non sarebbe stata così scostante con voi. Sentirsi a casa, ecco l'unica cosa di cui aveva veramente bisogno. Stava passando un momento così difficile e...»

La voce le si spezzò e si nascose la faccia tra le mani.

Le sue amiche si guardarono tra loro, poi guardarono noi come per dire "vedete con cosa dobbiamo avere a che fare?"

Non potevo credere che quelle due avessero trattato in quel modo la mia amica Geira.

Sentii che un vulcano di rabbia stava per esplodermi dentro, ma Rob intervenne: «Avanti Tyra, usciamo! Devi assolutamente farci da guida! E dopo, che ne dite se ordiniamo una cena cinese d'asporto e ci vediamo un film spaparanzati sul divano? Ho proprio voglia di involtini primavera!»

Fu così che Rob, solitamente maldestro, riuscì a tirarci fuori da una situazione che poteva solo evolversi in peggio.

Lasciammo le smorfiose in salotto e uscimmo per esplorare un po' la città.

Los Angeles era straordinaria, enorme e caotica come New York, ma molto più esotica e sfavillante. Ne restai incantata e completamente frastornata, per eccesso di stimoli: una specie di colossale sbornia di luci, colori e movimento.

A un certo punto ci ritrovammo a passeggiare sul lungomare. Rob, capelli lunghi e vestiti scombinati, si confondeva perfettamente tra la folla di surfisti hipster. Faceva avanti e indietro in skateboard, così colsi l'occasione per fare due chiacchiere da sola con Tyra.

«Allora, che ne pensi della situazione di Avalon?»

«Sono preoccupata. Ho provato in tutti i modi a contattare Viviana, come lei mi aveva insegnato, ma non mi risponde. Mi chiedo se sia successo qualcosa o se la mia magia semplicemente non sia abbastanza forte...»

Entrambe le ipotesi erano spiacevoli per lei, così mi limitai a bofonchiare un «vedrai, le cose si risolveranno...»

Lei restò in silenzio a lungo, poi sospirò. «Non lo so. Ho provato a chiamarla sai? E le ho lasciato mille messaggi. Non solo non mi ha mai risposto, ma a un certo punto ha staccato il telefono. Deve avere cambiato numero...»

Ci impiegai un attimo a capire che parlava di Geira. Le lanciai un'occhiata preoccupata, e vidi che le era bastato pensarci per avere gli occhi lucidi.

«Non so cosa fare Angy. La conosco da pochi mesi, ma ero così abituata ad averla intorno, alle lunghe telefonate quando eravamo lontane, che non mi ero accorta di quanto spazio avesse nella mia vita.»

Il labbro le tremava, era sul punto di scoppiare in lacrime. «Sono stata io a spingerla tra le grinfie di Morgana, non l'ho sostenuta abbastanza, ho sottovalutato i suoi problemi e ho lasciato che quella strega la portasse via...»

Lì però fui costretta ad interromperla.

«No Tyra, non puoi dire così. Morgana ci ha manipolati, ci ha messo gli uni contro gli altri. Se c'è qualcuno che è colpevole di quello che è successo sono io. Ho lasciato che la mia rabbia prendesse il sopravvento e sono arrivata al punto di attaccare Geira. Ci credo che ai suoi occhi poi i cattivi siamo diventati noi!»

Mi interruppi un attimo e aggiunsi: «Chissà, magari Morgana ha usato la magia per manipolare e accentuare le nostre emozioni... Da quando siamo lontani da lei mi sento più presente, prima ero come annebbiata e con una specie di visione a tunnel delle cose...»

L'alternativa era che fosse tutta colpa mia. Ma non era un'alternativa che mi piaceva contemplare.

Tyra non disse nulla e si asciugò gli occhi con la manica. Riprendemmo a passeggiare, in silenzio, mentre Robb faceva i salti con lo skateboard a qualche decina di metri da noi. Ogni tanto si interrompeva per assicurarsi che guardassimo le sue acrobazie e ci salutava con la mano.

La sera arrivò in un lampo e Rob minacciò di divorarsi una palma del viale se non ci fossimo fermati subito in un take-away. Per fortuna trovammo una pizzeria da asporto e, data la nuova passione per le pizze di Rob, ordinammo tre cartoni di pizze miste.

L'umore nero che mi era calato addosso dopo la conversazione con Tyra, cominciò a dissolversi, spazzato via dall'aroma di pizza. Finché, svoltato l'angolo, non ci imbattemmo in un edificio con enormi vetrate che riflettevano le luci della città.

Sulla porta d'ingresso il logo della ditta, composto da lettere d'acciaio, spiccava nitido: Lefay inc.

«Eh?!» sbottai incredula. «Anche qui?!»

«Non lo sapevo! E magari ci saranno anche quei due tirapiedi di Miller e Amelie» disse Tyra, pensosa.

«E dove non è, quella vecchia strega?» commentò Rob

tirando un calcio a un sassolino sul marciapiede. Poi guardò avvilito il suo cartone della pizza ancora chiuso. «Sapete che vi dico? Mi è passata la fame.»

«Anche a me!» dichiarò Tyra. Le sue spalle si incurvarono e nei suoi occhi tornò la tristezza.

No. Questo non potevo proprio sopportarlo. Passai il mio cartone della pizza bollente a Rob, mi diressi verso il cestino dell'immondizia sul marciapiede, estrassi un sacchetto e tornai da Rob. Aprii i cartoni e, con la stessa cura di uno chef pluristellato, distribuii sulle pizze il contenuto viscido e maleodorante del sacchetto.

«Che stai facendo?» mi chiese Tyra, allarmata.

Le risposi mentre trafficavo con il cellulare. «Servizio di consegna a domicilio.»

Rob e Tyra mi fissarono disorientati.

«Eccolo!» Selezionai il numero che avevo trovato su Google e attesi la risposta. «Pronto, buonasera, vorrei un fattorino alla mia posizione, devo consegnare un pacco urgente. Grazie mille!»

Riagganciai e guardai i miei amici con aria trionfale.

«Si può sapere cosa stai progettando?»

«Aspettate e vedrete!»

Dopo pochi minuti un ragazzo in bicicletta si fermò

davanti a noi con uno stridio di freni. «Superfast Delivery Service. Cerco Angy Pendrake!»

Gli tesi un paio di bigliettoni da venti. «Sono io... Devi consegnare queste pizze alla Lefay inc. Devi dire alla reception che sono state ordinate da Morgaine Lefay in persona per lei e i suoi collaboratori più stretti.»

Il fattorino storse il naso quando gli diedi in mano i cartoni puzzolenti, ma con una scrollata di spalle si infilò le pizze nello zaino e se ne andò.

Mi girai raggiante verso i miei amici. Entrambi mi fissavano a bocca aperta.

«Tu... sei...» bocheggiò Tyra, con la chiara intenzione di dire "pazza".

«Geniale!» la interruppe Rob, invece, mentre sul suo volto si allargava un ampio sorriso sdentato.

Volente o nolente, Tyra dovette rassegnarsi a quel tiro mancino e, cinque minuti netti più tardi ci stavamo scapicollando lontani dalla Lefay inc.

Avevamo fatto uno scherzo davvero infimo, ma che diamine, se lo meritavano!

Uramaki spappolati e vera amicizia

C i eravamo appena seduti sul molo a riprendere fiato, quando accadde una cosa che ci riportò di colpo alla dura realtà...
Io mi ero completamente incantata a osservare lo spettacolo del sole infuocato che si rifletteva sul mare, quando Tyra mi afferrò una spalla, facendomi sobbalzare.

«Angy...» mormorò piano, allarmata.

Mi girai verso di lei e vidi che aveva un'espressione a metà tra confusa e spaventata. «Forse mi sbaglio ma...» alzò lentamente il braccio per indicare un punto alle mie spalle «Credo che... la tua ombra... si muova... senza di te!»

Quelle parole bastarono per farmi scattare. Mi girai immediatamente ed eccola lì, proiettata su uno dei pilastri del molo, la mia ombra, gigantesca e minacciosa, sforacchiata dai colpi che già le avevo inferto.

«Via , via di qui! Presto!» esclamai scattando in piedi, «Andate verso la luce!»

Immediatamente mi spostai dall'ombra del molo, e mi misi a correre sulla sabbia illuminata dal tramonto, seguita dai amici, terrorizzati. Continuavano a voltarsi indietro, verso la mia ombra che, indebolita dalla luce, non era in grado di sollevarsi e attaccare, ma era comunque minacciosa e terrificante...

«Presto, dobbiamo trovare un punto nascosto, lontano dagli sguardi dei passanti!» li esortai.

«Ma così le ombre ci attaccheranno!» protestò Rob.

«È proprio quello che voglio, meglio combattere in un luogo favorevole, che farci sorprendere in un posto dove non possiamo usare le armi dei nostri antenati per paura di farci scoprire. Muoviamoci, non c'è tempo da perdere: quando cala il sole, le ombre diventano potentissime!»

Ci mettemmo a correre come forsennati sul lungomare tra i passanti che ci guardavano sbalorditi: non capivano perché ci stessimo scapicollando. Nessuno sembrò notare i tentacoli d'ombra che si staccavano dalle ombre proiettate al suolo e che cercavano di ghermirci.

«Di là!!» esclamò Rob indicando un anfratto deserto tra due bassi edifici, nascosto alla vista dalla strada.

Appena fummo fuori dagli sguardi dei passanti, evocai Excalibur e la piantai contro l'ombra proiettata sul muro dietro di me. Quella scomparve sfrigolando, ma era troppo tardi.

Da tutte le ombre che ci circondavano, quelle proiettate dai miei amici, dai muri degli edifici, dai cassonetti dell'immondizia, iniziavano già a staccarsi delle figure spettrali e mostruose, molto più numerose rispetto alla all'ultimo attacco.

Indietreggiammo fino a ritrovarci schiena contro schiena, raccolti sull'ultima fetta di luce rimasta tra le ombre degli edifici.

«Rob, questo sarebbe un buon momento per evocare il tuo arco…» suggerii io, con l'ansia nella voce.

«Non ci riesco! Non ci sono mai riuscito! Perché dovrei riuscirci ora?» strillò lui con una nota di disperazione nella voce.

«Perché altrimenti ci lasciamo le penne!» risposi.

Agitavo Excalibur davanti a me per tenere lontani gli spettri che cercavano di toccarmi, ma quelli schivavano i miei colpi prima che potessi raggiungerli.

Con orrore, mi resi conto che avevano imparato a tenersi lontani dalla corta lama spezzata della mia spada.

Tyra fece un passo avanti, decisa. «Non preoccupatevi ragazzi. Ci penso io... basta solo un po' di... luce!» esclamò spalancando le braccia con un gesto teatrale, ma non successe niente.

«Cosa!? No!» esclamò Tyra. Raccolse le mani davanti a se, confusa e stupefatta, e assunse un espressione disperatamente concentrata.

«Avanti, avanti!» mormorò tra sé.

«Tyra qualunque cosa tu stia cercando di fare, meglio farla subito!» gridai, cercando di spostare i piedi il più lontano possibile dalle ombre che avanzavano sull'asfalto.

«Andiamo...» disse Tyra tra i denti. Tra i palmi delle sue mani raccolti a coppa, scintillò un piccolo, minuscolo puntino di luce azzurra, che per un istante illuminò la pelle scura del suo viso... e poi scomparve.

In quel momento il sole calò e le ombre si lanciarono verso di noi. Con un solo ampio colpo di spada tranciai in una sola volta le braccia protese degli spettri, ma Rob e Tyra erano senza armi, non potevano difendersi.

«Adesso basta!» gridò Tyra esasperata e con un lampo di luce apparve tra le sue mani la lancia della sua antenata

Europa. Mosse la lancia davanti a sé alla cieca, ma riuscì comunque a lacerare le ombre che si erano avvicinate troppo a lei e a Rob.

«Come accidenti si usa questa cosa?» gridò Tyra.

«Infilzali, insomma! Non è così difficile!» strillò Rob, stretto in mezzo a noi come un panino. «Avresti dovuto venire agli allenamenti invece di startene sempre chiusa a studiare magia con Viviana. In questo momento i tuoi incantesimi non sono molto utili, mi pare!»

«Non sei d'aiuto Rob!» gridò lei agitando a caso la lancia, mentre io infilzavo uno dopo l'altro i mostri che mi venivano davanti con la lama spezzata di Excalibur.

Cominciavo ad avere una certa pratica, dopotutto!

Alcune volte riuscii anche a ripetere il fendente di luce, l'incredibile colpo che mi era venuto in autogrill, ma non fu sufficiente...

Le ombre ormai ci stavano assediando. Era solo questione di tempo, e ci avrebbero sopraffatti!

Fu allora che improvvisamente fummo colpiti dalla luce proveniente dai fari di una macchina. Era una luce molto più brillante del normale, e nei punti dove colpiva l'asfalto pareva quasi si fosse improvvisamente fatto giorno.

Illuminate da quella luce innaturale, la maggior parte

delle ombre attorno a noi svanì. Rimasero solo quelle che io e i miei amici proiettavamo sul muro alle nostre spalle.

«Ora! Colpisci, Tyra!» esclamai.

Assieme scattammo in avanti e infilzammo le ombre, che si dissolsero come cenere al vento.

Finalmente potevamo tirare un sospiro di sollievo.

«Ok... per un paio di giorni dovremmo essere al sicuro» sospirai.

«Ehm... ragazze...» sussurrò Rob, indicando con il mento la macchina che ci aveva salvato con la luce dei fari. Era entrata con il musetto nell'anfratto dove ci trovavamo, bloccandoci la via d'uscita.

Era una macchina nera, come il carbone, dai finestrini neri. Una macchina della Lefay Inc.

Non persi tempo a chiedermi cosa ci facesse lì o cosa volesse da noi: «Gambe!» gridai, e scattai verso la macchina. Siccome ci bloccava il passaggio, balzai sul cofano, e poi sul tettuccio, con i passi che rimbombavano sul metallo lucido, e saltai giù dal bagagliaio, fino all'asfalto.

Mentre saltavo sull'auto, per un istante riuscii a intravedere l'autista: una ragazza bionda, vestita di scuro... mi parve fosse Geira, ma non dissi niente. Non ne ero sicura e non volevo mettere in agitazione gli altri, soprattutto Tyra.

I miei amici mi imitarono, e mentre la macchina perdeva tempo a fare manovra, riuscimmo a scappare, infilandoci nei corridoi tra le case, troppo stretti perché potesse seguirci.

Dopo lo scontro, decidemmo che tornare a casa di Tyra non sarebbe stata la cosa migliore... avremmo rischiato di condurre da lei la macchina della Lefay inc. Così per depistarli, e anche perché avevamo bisogno di recuperare il fiato, di stare un po' tra di noi e di parlare di quello che era appena accaduto, decidemmo di rifugiarci in un ristorante *All you can eat*.

Lo scontro mi aveva lasciato addosso un terribile senso di impotenza, come una coltre soffocante che mi premeva sulla testa. Come se non bastasse, l'intorpidimento al braccio si era intensificato e questo contribuiva a fomentare la mia rabbia sorda.

Che fine avevano fatto Merlino e il suo potere? E Viviana e Galahad e Parsifal? Perché non ci aiutavano?

Seduti sotto le luci morbide delle lampade, in un silenzio interrotto solo dal rumore delle nostre mascelle e dal tintinnare di ceramica quando ci passavamo i piatti per assaggiare le portate uno dell'altro, finalmente la situazione sembrò tornata sotto il nostro controllo.

La pace fu interrotta dal cellulare di Rob che si illuminò e lanciò un breve e sgraziato starnazzare da papera.

«Wow... sul serio quella è la tua suoneria?» chiese Tyra.

Rob la ignorò, e dopo avere controllato lo schermo annunciò, con un gamberetto che gli spuntava dalle labbra: «Hal ha appena scritto che si è imbarcato, domani dobbiamo passare a prenderlo in aeroporto».

Mi sentii immediatamente sollevata: «Meno male, fra poco ci saremo tutti!»

«Non tutti...» disse Tyra, lo sguardo fisso sul piatto, vuoto tranne che per un uramaki solitario e ancora intatto.

Rob e io ci scambiammo uno sguardo consapevole. Sapevamo entrambi a chi stava pensando.

Aprii la bocca per consolarla, ma Rob sorprendendomi mi anticipò:

«Senti Tyra... ce la andremo a riprendere, Geira, va bene? Ma non ci riusciremo se ci lasciamo abbattere. Dobbiamo stare sul pezzo e tenere alto il morale. Anche se mi comporto come se non lo pensassi... Tu sei la più forte di tutti noi, quando ci credi, e abbiamo bisogno di te. E se ti ripigli, ti prometto che sistemeremo questa situazione, e prima o poi Geira la riportiamo a casa. Ok?»

Tyra lasciò andare un respiro tremante e annuì, strofinandosi il naso con la manica. Non sembrava al cento per cento convinta, ma almeno era un po' rincuorata.

Io invece ero assolutamente sorpresa, e ammirata, dal discorso di Rob. Non me lo sarei mai aspettato da lui, soprattutto visto che Tyra non gli era mai stata troppo simpatica. Era davvero cambiato...»

«C'è un problema però...» disse Tyra. «Quando arriverà Halil la fila per il bagno aumenterà ancora e le mie coinquiline diventeranno delle arpie.»

Rob sospirò sollevato, fece un ampio sorriso e puntò le bacchette sui raviolini al vapore. «Tutto qui il problema? Siamo Leggendari, combattere il male è il nostro mestiere!»

Il suo ottimismo era così contagioso che ci tornò il buonumore (e l'appetito), e ce ne tornammo a casa solo quando fummo pieni da scoppiare.

L'indomani, Tyra ci accompagnò in aeroporto con la Prius ibrida che condivideva con le sue coinquiline.

Aspettammo quasi un'ora nel terminal degli arrivi, Tyra incollata al cellulare con aria di sconforto, io e Rob a lanciarci le noccioline in bocca, prima che tra la folla riuscissimo a intravedere il volto familiare di Halil.

In realtà prima di vedere lui, notai le reazioni di un gruppo di ragazze nella fila di sedie opposta alla nostra.

Si erano girate tutte e quattro di scatto e avevano preso a confabulare tra loro, controllando sul cellulare come se cercassero qualcosa: «Ma si è lui, quell'attore... Ma no, non può essere, è troppo alto... e se fosse invece? Boh, magari non è nessuno...»

Seguendo il loro sguardo vidi, dunque, il mio amico Hal, fermo in mezzo al terminal che si guardava intorno cercando di individuarci, una mano nella tasca dei jeans e una sacca da viaggio buttata con disinvoltura sulla spalla.

Portava gli occhiali da sole nonostante fossimo al chiuso, e indossava una semplice t-shirt bianca con lo scollo a V che faceva risaltare le sue braccia muscolose. I suoi capelli neri, nonostante le lunghe ore di volo, erano ancora perfettamente scolpiti in un ciuffo tirato all'indietro, accuratamente studiato per fare l'effetto "non lo faccio apposta a essere così figo".

Insomma, non mi stupii che quelle ragazze l'avessero scambiato per qualcuno di famoso. A me, sinceramente, la vanità di Hal aveva sempre fatto un po' ridere, ma sapevo che sotto quell'aspetto frivolo si nascondeva un cuore d'oro.

In quel momento, Hal ci vide e si diresse verso di noi con un gran sorriso.

Ci salutò abbracciandoci a uno a uno. «Finalmente! Era troppo tempo che non ci vedevamo di persona...»

Ridacchiai: «Effettivamente, anche io avevo fatto l'abitudine di vedervi tutte le settimane, quasi mi ero dimenticata che abitiamo tutti in angoli diversi del mondo».

«Allora, ci sono novità? Raccontatemi tutto!»

«Ti aggiorniamo sulla via del ritorno» disse Tyra.

Appena ci fummo tutti radunati nell'abitacolo della Prius, facemmo un riassunto ad Hal di tutto quello che ci era capitato nei giorni precedenti, per fare il punto della situazione.

Rob aveva persino un block notes dove aveva annotato una lista di tutti i problemi che ci erano capitati. Era una lista fin troppo lunga per i miei gusti.

«Sono d'accordo, la situazione è seria...» annuì Hal, cupo, «ma la cosa più grave è sicuramente il "silenzio radio" da Avalon. È da settimane che provo a passare nella dimensione magica senza successo... Tyra, hai detto che neanche tu sei riuscita a passare ad Avalon attraverso il Silver Lake, giusto?»

«Esatto. Ho provato più volte a tuffarmi nel lago, ma non è successo niente. A parte infradiciarmi e rovinare sei completi della mia ultima collezione.»

Rob, con il tappo dell'evidenziatore tra i denti, sottolineò di giallo l'argomento "passaggi magici" sul suo block notes. «In realtà» buttò lì senza alzare gli occhi dal foglio, «Angy e io abbiamo provato a tuffarci in un lago naturale, venendo qui, ma non si è aperto alcun passaggio.»

Halil e Tyra ci fissarono in attesa di dettagli, ma Rob continuò a giocherellare con l'evidenziatore, tenni lo sguardo fisso fuori dal finestrino, sperando che il suo commento passasse inosservato.

«Tyra, digli quella cosa di Viviana» tergiversai.

«Ah, sì. Non riesco più a comunicare con lei. Viviana mi ha insegnato un modo per contattarla direttamente, in caso di emergenza» continuò Tyra in tono apprensivo. «È il metodo che ho usato mentre eravamo in giro per il mondo con la Lefay. Ma è da quando si sono chiusi i passaggi che non funziona.»

Hal annuì, picchiettando con il dito l'argomento "silenzio radio" sulla lista di Rob, che si affrettò a sottolinearla con l'evidenziatore rosso.

Hal annuì, barrando con il pennarello rosso il lago di Silver Lake sulla mappa di Los Angeles.

Andammo avanti tutto il tragitto verso la casa di Tyra facendo ogni genere di congetture, compilando liste, accartocciando fogli, sottolineando e scrivendo. L'autoradio accompagnava il nostro chiacchiericcio con un rilassante sottofondo *Indie Rock*.

Fino a quando la musica non venne interrotta dal telegiornale. Lo ignorai come rumore di sottofondo, finché una notizia particolare catturò la mia attenzione.

«...i negozianti del quartiere della moda di Los Angeles si stanno trovando a fronteggiare un problema insolito, proprio nel momento del cambio di stagione. Penuria nazionale di manichini! Sembra che tutti i manichi siano stati comprati in massa da un misterioso acquirente, direttamente al fornitore. Strategia di marketing, *statement* contro l'industria della moda, o un semplice scherzo? Qualunque sia il motivo di questo strano fenomeno, se i negozianti non troveranno delle soluzioni creative, ci troveremo con un'estate di vetrine spoglie! Da Los Angeles è tutto.»

«Questa è la cosa più assurda che abbia mai sentito in un telegiornale!» commentò Rob.

Hal continuava a fissare lo schermo a braccia conserte. «Non mi piace.»

«Anche voi avete la sensazione che non sia stato frutto di uno scherzo?» domandò Tyra, cupa in volto.

Hal annuì. «C'è sotto qualcosa... ma mi sfugge cosa.»

«Ehm, ragazzi? Forse sono paranoica, ma mi è venuto in mente che durante il viaggio Rob e io abbiamo visto spesso un furgone nero viaggiare dietro al nostro autobus... Rob strizzò gli occhi. «Confermo. Ma di furgoni neri è piena l'America, non è detto che sia della Lefay, magari era l'FBI!» aggiunse con una risatina nervosa. Tyra scrollò le spalle. «Se anche fosse stato della Lefay, non vedo il nesso con l'acquisto di massa di manichini. Cosa potrebbe farsene Morgana? Aprire un brand di moda medievale?»

Rob e io scoppiammo a ridere, ma Halil ci riportò all'ordine. «Basta, non possiamo farci distrarre da queste stupidaggini. Dobbiamo agire, e in fretta. Mancano solo undici giorni all'eclissi di luna. Dobbiamo riprendere la missione da dove l'abbiamo lasciata e recuperare la Pietra Nera dalle mani di Mordred prima che la usi per assorbire il potere di tutti gli incantatori. Se lo facesse, sarebbe la fine del mondo magico e di quello reale: le ombre dilagherebbero e renderebbero gli esseri umani dei burattini privi di volontà nelle grinfie di Mordred.»

«Quindi...» gli chiesi seria «...che cosa proponi, Hal?»

Lui si girò in modo da averci di fronte. «Ho un'idea, ma potrebbe non piacervi...»

Come becchini a una festa di compleanno

«È un'idea fantastica!» disse Rob.

«È una *pessima* idea!» esclamò Tyra nello stesso momento.

Io, personalmente, ero indecisa. Tutti gli sguardi si volsero verso di me, come se la mia risposta potesse far pendere l'ago della bilancia. Io mi strofinai la fronte, sospirando: «Ripetimi ancora il tuo piano, Hal, per piacere.»

«È molto semplice...» disse lui, pazientemente, puntando il dito sulle carte che aveva distribuito sul tavolo della cucina di Tyra, un mix di piantine di Los Angeles, ritagli di giornale, e gli appunti che aveva preso Rob durante il tragitto in macchina.

«Primo: qui a Los Angeles c'è una sede della Lefay.

Secondo: un furgone nero come quello di Morgana ha seguito l'autobus di Rob e Angy. Questi indizi parlano chiaro... se non fossero coincidenze? Se lei fosse qui?»

Tyra si passò una mano sul viso segnato dalle occhiaie. «È proprio per questo che non mi piace il tuo piano!»

«Basta essere cauti» disse Halil, appoggiandosi allo schienale della sedia, e tornando a rivolgere lo sguardo verso di me. «Morgaine è qui, e ci sta tenendo d'occhio. Sta tramando qualcosa... Perciò, io dico: spiamola! Proprio come lei sta spiando noi. Vuole ancora quello che voleva a Camlann: la Pietra. E la Pietra è nella Soglia tra i due Mondi in corrispondenza del luogo dove si svolse la battaglia di Camlann, nell'accampamento di Mordred.»

«Ma non può farlo!» tagliai corto. «Morgana non può entrare nella Soglia!»

Hal annuì come se avesse previsto una tale osservazione. «È per questo che dobbiamo spiarla. Se non possiamo accedere ad Avalon né comunicare con Viviana...» aggiunse guardando Tyra, «...l'unica risorsa che ci resta è Morgana. È troppo scaltra e cocciuta per arrendersi, quindi forse ha trovato un modo per tornare oltre il Velo tra i due Mondi. Magari sta studiando un incantesimo. Non dobbiamo permetterglielo, anzi, dobbiamo sfruttarla per arrivare alla

Pietra prima di lei. Distruggiamo la Pietra, salviamo i ragazzi prigionieri di Mordred e ce ne torniamo a casa.»

Rob emise un fischio sommesso guardando Hal con aria scettica. A vedere la sua faccia, non pareva più una cosa tanto divertente. «Peccato che nessuno di noi sia mai stato reclutato dall'FBI.»

«Abbiamo un addestramento con i controfiocchi, Rob» ribatté Hal allargando le braccia. «Tu sei nientemeno che l'erede di Robin Hood, l'impavido! Siamo Leggendari e per di più Guardiani della Soglia. A che ti serve un addestramento dell'FBI... quando hai avuto a disposizione un tutor strepitoso come me!»

Tyra si passò la mano sulla fronte con un sospiro, io e Rob ci scambiammo un'occhiata poco convinta. Nonostante il nostro scetticismo, però a nessuno venne un'idea migliore, così ci toccò adattarci al piano di Halil.

Per due giorni ci vestimmo come a un funerale, neri dalla testa ai piedi, assolutamente anonimi. O almeno questa era la nostra intenzione. In realtà, nella folla eccentrica e variopinta che gremiva le strade di Los Angeles, noi risaltavamo come becchini a una festa di compleanno.

Ma ormai era troppo tardi per tirarsi indietro quindi ci rassegnammo a recitare la parte.

Ci appostammo a turno davanti all'ingresso della Lefay inc. nascondendo la faccia sotto grossi occhiali scuri. Camminavamo su e giù, facendo finta di essere molto interessati allo schermo del nostro smartphone o di parlare animatamente negli auricolari mentre invece non perdevamo di vista l'ingresso principale.

Per comunicare meglio avevo creato una chat di gruppo su WhatsApp. L'avevo chiamata *Avalon* e come logo avevo scelto l'immagine di Merlino dal film di animazione. Una cosa che, tutti noi sapevamo, il *vero* Merlino avrebbe detestato con tutto il cuore.

Dopo un po' fu chiaro che lì le persone più sospette eravamo noi: da quel lato c'era solo un gran viavai di gente in carriera, vestita in abiti alla moda, come davanti a ogni edificio del business district di Los Angeles.

Andai sulla chat e scrissi a tutti di spostarci sul retro del palazzo. Lì c'era un cortile, cinto da una rete metallica sorvegliata da telecamere, con un cancello automatizzato che ogni tanto si apriva su uno spiazzo asfaltato.

Era impossibile avvicinarsi senza essere scoperti, per cui ci rintanammo a debita distanza, accucciati dietro una vecchia station wagon che sembrava essere lì da anni. Anche stando lì dietro, ci saltò subito all'occhio uno strano via vai di furgoni neri, alcuni anonimi altri con la scritta argentata «LF» dipinta sulla fiancata, che andavano e venivano dal cortile. Sparivano inghiottiti dal cancello a intervalli regolari: ogni mezz'ora uno entrava e la mezz'ora successiva un altro usciva.

«Tutto questo è molto sospetto. Dovremmo cercare di scoprire qualcosa in più...» mormorò Hal.

Rob scattò in piedi. «Ci penso io. Prima di arrivare qui, tutti i camion sono costretti a fermarsi a quel semaforo infinito dell'incrocio. Ne approfitterò per spiarli.»

Immediatamente sentii un brividino di preoccupazione. «E come pensi di fare?... finirai per farti beccare!»

«Fidatevi di me, mi servono solo una bottiglietta d'acqua e uno straccio.»

Non avevamo dietro nessuno straccio, così Halil fu costretto a sacrificare per la causa la t-shirt immacolata che indossava sotto la giacca da becchino. Armato della sua nuova attrezzatura, Rob si diresse con nonchalance verso l'incrocio, e si mise a fare il lavavetri per le macchine ferme al semaforo.

Tyra si lasciò scappare un sospiro addolorato. «Non riesco a credere quanto sia stupido...»

Io però conoscevo Rob abbastanza bene da sapere che

le sue idee apparentemente balorde spesso si rivelavano degli inaspettati colpi di genio.

«Diamogli una chance, potrebbe anche funzionare...»

Dopotutto, fingendo di voler pulire i vetri, aveva la scusa perfetta per sbirciare dentro i finestrini delle macchine... e soprattutto dei furgoni della Lefay, quando ne fosse passato uno. Per nostra fortuna, non dovemmo aspettare più di dieci minuti prima che questo accadesse.

Accompagnate da un insistente segnale acustico, le porte del cancello si aprirono e un pickup nero, con il cassone vuoto, scivolò fuori dal garage, silenzioso come un'ombra. Come previsto, dopo pochi metri fu costretto a fermarsi all'interminabile semaforo prima dell'incrocio.

Rob ci si avvicinò a passo molleggiato, brandendo la bottiglietta d'acqua e la maglietta di Halil. Senza aspettare la reazione del guidatore, si mise a strofinare allegramente il finestrino dell'auto con la maglietta bagnata.

Tyra si teneva le mani sugli occhi come se non osasse guardare. Io invece non riuscivo a distogliere lo sguardo, in un misto di orrore e ammirazione.

Il finestrino dalla parte del guidatore si abbassò con una lentezza estenuante. Tyra, Hal e io non riuscimmo a scorgere chi fosse al volante, ma Rob sì, a giudicare dal fatto che il suo viso si fece tanto rosso da fare a gara con i suoi capelli.

Balbettando qualche scusa che non riuscii a sentire, indietreggiò, ma dopo appena due passi inciampò e fece appena in tempo a reggersi in piedi aggrappandosi al cassone del pickup. Immediatamente si raddrizzò e riprese a indietreggiare, tenendo alte le mani in gesto di scusa. Di fianco a me, Hal si tirò una manata sulla fronte.

Il pickup ripartì sgommando, e Rob finalmente si girò e attraversò la strada di corsa, ignorando le proteste dei clackson, e ci raggiunse senza fiato.

«Ci hanno beccati! Al volante c'era Miller... mi ha detto che se non la smettiamo di gironzolare attorno al cortile verranno a scacciarci con la canna dell'acqua come si fa coi gatti randagi.»

«Oh no!» gemette Hal.

«Non preoccuparti, quando sono "inciampato" sul pickup, ne ho approfittato per infilargli il mio cellulare nel bagagliaio... adesso possiamo rintracciarlo!

«Rob sei un genio!» esclamai io, resistendo a malapena all'impulso di abbracciarlo «Sei in gamba quasi come il mio amico Nate e, credimi, è un complimento!

«Sì, ma come pensi di fare a rintracciare il tuo cellulare, Rob? Conoscendoti, non sai nemmeno il tuo numero a memoria...»

«Con l'apposita app, ovvio. E sì, Tyra, so di essere, diciamo, un po' distratto... per questo lascio sempre attivati geolocalizzazione e dati del cellulare, in caso di smarrimento. Non posso permettermene uno nuovo, ragazzi! Ho dato fondo ai miei risparmi per una buona causa e non posso certo ehm... procurarmene uno nuovo con metodi che il "nuovo Rob" non vorrebbe più usare!»

«Bravo!» esclamò Tyra «Allora che si fa?»

«Beh, direi che mentre cerco di rintracciare il mio cellulare, potremmo andare in pausa pranzo! Ho visto un ristorante messicano dall'altra parte della piazza, con il grattacielo della Lefay in vista, non si sa mai!

Mentre aspettavamo il nostro ordine e Rob smanettava furiosamente sul cellulare di Tyra, Hal tentò di riportarci sulle nostre priorità.

«Limitarci a osservare gli ingressi di nascosto non basta. Dobbiamo trovare il modo di entrare alla Lefay» dichiarò Hal, mentre addentava la sua *enchilada* ripiena di salsiccia con lo stesso cipiglio di un guerriero di ritorno da una ricognizione in campo nemico.

Io non amavo la cucina piccante, ma ero così affamata

che trangugiai *enchiladas* e salse al peperoncino quasi senza accorgermene.

«Sì, e come?» domandò Rob, riempiendosi avvilito il piatto di *tacos* e fagioli senza staccare gli occhi dallo schermo del cellulare.

Tyra mi passò l'acqua preoccupata, forse notando che stavo raggiungendo una temperatura prossima a quella del magma fuso. «Potremmo fingerci dei fattorini» propose.

«Pensavo anch'io a una cosa del genere» convenni. Rob e io l'avevamo già fatto in passato e proprio alla Lefay, quindi, perché no?

«Pensate che funzionerà? Dopotutto ci hanno già riconosciuti... disse Tyra, perplessa.

Hal scrollò le spalle. «Solo perché c'era Miller, che ha letteralmente fatto il giro del mondo assieme a noi... che possibilità ci sono che incontriamo qualcun altro che ci conosca? Qui a Los Angeles poi...

Come al solito ci convinse.

Per mettere in atto il nostro piano, chiamammo ancora un fattorino della Superfast Delivery Service, ma invece di chiedergli di consegnare un pacco "noleggiammo" la sua divisa per mezz'ora, corrompendolo con una lauta mancia.

Così mentre il fattorino si allontanava con indosso

la giacca nera di Hal, questi si avvicinò all'ingresso della Lefay sfoggiando il gilet e il cappellino da baseball azzurro brillante del fattorino.

Noi lo tenevamo d'occhio a distanza di sicurezza, seduti su una panchina nel parco davanti al palazzo. Hal ci aveva chiamato con il cellulare, in modo che dai suoi auricolari wireless potessimo sentire quello che succedeva attorno a lui.

«Ehi, dolcezza...» disse Hal rivolto alla segretaria nell'androne. Masticava una gomma a bocca aperta e intanto faceva finta di tenere il ritmo della musica negli auricolari: in realtà quelle che sentiva erano le nostre risate. Si era calato perfettamente nella parte.

«Ho dei documenti importanti da far firmare, a una certa Morgaine Lefay» continuò ruminando.

«Dia pure qui, faccio io» tagliò corto la segretaria.

«Ho ordini di consegnare direttamente a Morgaine Lefay. Mi serve la firma del ricevente e di nessun altro.» Era il piano per gironzolare nell'edificio: presumibilmente, gli uffici di Morgaine si trovavano all'ultimissimo piano, proprio come nella sede di New York.

«...oh guardi, si è accesa la luce del suo ascensore privato, vuol dire che sta scendendo in questo momento.

Se aspetta un minuto potrà consegnarglieli direttamente in mano prima che esca.

Io e gli altri ci scambiammo un'occhiata terrorizzata. Hal produsse qualcosa di molto simile a un gemito. «Eh io, eh... Oh! Ma guarda un po', ho sbagliato indirizzo! È per un certo Morris Lefinì, non Morgaine Lefay! Scusildisturboarrivederciegrazie!»

Dopo meno di un secondo, le porte del palazzo si aprirono e Hal schizzò fuori come un lampo, attraversò la strada senza guardare tra le proteste dei clacson, e si tuffò con un balzo al riparo della panchina.

«Ti ha visto!?» esclamò Tyra.

Hal boccheggiò, tentando di prendere fiato. «Non penso. Quando sono uscito l'ascensore non era ancora arrivato.

In quel momento, una lussuosa macchina nera aggirò il palazzo e parcheggiò proprio davanti all'ingresso.

Le porte della sede della Lefay inc. si aprirono, e ne uscì Morgaine Lefay in persona. Almeno, immaginavo che fosse lei, perché sembrava diversa. Avanzava a fatica, quasi ricurva, e c'erano ciocche grigie nella sua chioma corvina. Ma non ci feci caso più di tanto perché un istante dopo dal posto del guidatore uscì una ragazza alta, bionda, con i capelli raccolti in una treccia elaborata. Era Geira.

Vidi con la coda dell'occhio un movimento fulmineo di fianco a me, e mi accorsi che Tyra era scattata in avanti per raggiungerla, ma Halil, più veloce di lei, le aveva piazzato una mano sulla bocca e l'aveva tirata verso di sé, bloccandola prima che potesse fare o dire qualcosa di molto sciocco, e l'aveva trascinata di nuovo al riparo della panchina.

Geira dall'altra parte della strada aggirò il macchinone scuro, andò ad aprire la porta del passeggero per Morgaine, e la richiuse con uno scatto secco.

Rimase un attimo a guardarsi attorno come una sentinella pronta a cogliere ogni segnale di pericolo, ma fortunatamente il suo sguardo non ci toccò.

Mi resi conto che non sembrava lei, la sua espressione era dura e fredda. Come quella di un soldato.

Dopo qualche istante, Geira capì di avere la strada libera; prese posto nel sedile del guidatore e la macchina ripartì, perdendosi nel traffico della città.

E noi rimanemmo a lungo immobili dietro la panchina, troppo sconvolti per muoverci o parlare.

Vedere per credere...

Nessuno di noi aveva più voglia di giocare all'agente segreto.

Hal faceva su e giù per la stanza, con le mani sui fianchi e un'espressione tempestosa in volto. Quando arrivava al tavolino, lo circumnavigava e poi proseguiva fino alle vetrate del terrazzino. Lì lanciava un'occhiata distratta alla piscina, si girava, tornava indietro, girava intorno al tavolino e raggiungeva la porta d'ingresso. Stava facendo così da un'ora, ormai.

Io avevo la nausea a furia di seguirlo con lo sguardo. «Hal, ti prego!» lo supplicai sbadigliando. «Fermati. Mi stai facendo girare la testa.»

«Non posso fermarmi, mi aiuta a pensare.»

Era come se vedere Geira con Morgana, vestita come una dei suoi scagnozzi, avesse finalmente cementato nella nostra mente il fatto che la nostra amica se n'era andata. Come si dice:" Vedere per credere…"

Ognuno processava la cosa in maniera diversa: Tyra si era chiusa in camera sua, Hal gironzolava, io sedevo a gambe incrociate sul divano mordendomi le unghie, tanto che ormai erano quasi scomparse. O, in alternativa, mi massaggiavo il braccio che era stato sfiorato dall'ombra di Mordred. Ogni tanto infatti mi arrivava una fitta fredda e dolorosa, come quando ti siedi nella posizione sbagliata per troppo tempo e ti si blocca la circolazione. Strofinavo vigorosamente il punto indolenzito e la situazione migliorava un po', ma non passava del tutto, come se rimanesse una specie di tocco fantasma.

Rob era circondato da una marea di cartine e cartacce a testimonianza del massacro che aveva fatto della dispensa, e controllava ossessivamente lo schermo del cellulare di Tyra. L'app faticava a localizzare il suo telefono, che ogni tanto compariva, poi spariva di nuovo… evidentemente il pickup di Miller era ancora in movimento.

A un tratto Rob esultò: «Ci siamo, ragazzi! Si sono fermati! Ma volete sapere una cosa? Dalle mappe risulta che non c'è nient'altro che un distributore di benzina e un magazzino. Ho cercato su internet, è una vera e propria città fantasma!»

«Mah! E cosa ci sarà in quel magazzino? Altre ruspe incantate, come quelle che Morgana ha usato contro di noi a New York, nella battaglia sulla Soglia?» chiesi perplessa.

«Uhm, non credo...» mormorò Hal, «cosa se ne farebbe, ora che i passaggi attraverso i laghi sono chiusi?»

«E che diavolo ci fanno lì?» bofonchiò stancamente Rob con la bocca piena di patatine, senza sforzarsi di suonare intrigato o entusiasta.

«Non lo so... ma adesso sinceramente non ho voglia di scoprirlo. Ho solo bisogno di riposare... propongo di rimandare i piani a domani» aggiunsi io, e la mia idea fu accolta da un coro di borbottii d'assenso.

Prima di accamparmi come tutte le sere tra i divani e il tappeto del soggiorno, andai in bagno a darmi una lavata. Tornando indietro con la bocca che ancora mi pizzicava per il dentifricio, passai davanti alla porta della stanza di Tyra. Da quando eravamo rientrati era chiusa lì dentro...

Bussai e non ricevetti risposta. Non sapevo bene cosa fare o cosa dirle. Mi buttai e le parlai attraverso la porta chiusa: «Ce la farai, Tyra. Ce la faremo, insieme...»

Tyra non mi rispose. Me ne andai a dormire con la sensazione di aver fallito per l'ennesima volta.

Il mattino successivo eravamo tutti raccolti nella Prius di Tyra pronti a un viaggetto nel deserto.

Per contrastare l'atmosfera funebre, avevo incaricato Rob di preparare la playlist più stupida e cantabile che gli venisse in mente.

Ci erano voluti un paio di tentativi, guidati da uno stonatissimo Rob, ma alla terza canzone stavamo tutti cantando sguaiatamente hit pop degli anni novanta, canzoni d'amore, e i peggiori traccioni trap del momento.

Quelle quattro ore di viaggio furono le più spensierate da giorni. Se non fosse stato per il formicolio insistente che dal polso destro mi saliva quasi fino al gomito, sarei quasi riuscita a dimenticarmi dei nostri guai.

Il buon umore collettivo calò solo quando le ruote della Prius entrarono nell'area di sosta del distributore, appena fuori della città fantasma.

Il negozietto era deserto e anonimo. Dietro al bancone stazionava un signore di età indefinibile e dall'aria poco pulita, con un cappellino da baseball stinto appoggiato sui capelli lunghi, radi e unti. Nonostante fossimo probabilmente l'unica forma di vita che era entrata lì dentro da giorni, il tizio non ci degnò di uno sguardo e continuò a masticare, forse una cicca o forse tabacco, sfogliando lentamente una rivista di cui non voglio nemmeno nominare l'argomento.

Mentre Tyra riempiva il serbatoio noi ci rifornimmo di bibite e snack nel negozietto, e intanto facevamo il punto della situazione.

«Il magazzino dovrebbe essere appena dentro la città» dissi a bassa voce, «non sarà difficile trovarlo. Probabilmente sarà l'unico posto con qualche segno di presenza umana...»

«E come facciamo ad arrivarci senza farci scoprire? Se la città è deserta, ci noteranno subito...»

«Potremmo lasciare la macchina di Tyra a una certa distanza e proseguire a piedi, faremo meno rumore.»

Dopo avere pagato snack e benzina, sotto lo sguardo vitreo del commesso bisunto, mettemmo in atto il nostro piano ed entrammo nella città deserta e silenziosissima.

Le ruote della macchina scricchiolavano sulla polvere e sul ghiaietto della strada e producevano un rumore che in quel silenzio pareva quasi assordante. Le case e i negozi erano tutti disabitati, finestre e vetrine avevano le serrande abbassate e sbarrate con assi di legno.

«Mi ricorda quel videogioco, *Apocalisse Silente 3: i morti non parlano*» mormorò Rob.

«Preferirei affrontare gli zombie anziché Morgana!» borbottai. «*Loro* sono stupidi, e non usano la magia...»

Ci fermammo al primo parcheggio, nonostante Tyra non si sentisse per niente tranquilla ad abbandonare la macchina in un posto così desolato.

«Guardate!» esclamò Hal indicando l'asfalto. «Segni di copertoni. Qualcuno è passato di recente..»

«Seguiamo quelle tracce...» sussurrai.

«Wow, questo sì che è spionaggio!» ridacchiò Rob.

I segni dei copertoni attraversavano tutto il paese, tra case e viuzze deserte, e ci condussero davanti un enorme capannone di cemento, un rettangolo anonimo in mezzo a un cortile polveroso. Parcheggiati vicino alle porte in metallo c'erano tre furgoni neri, uno dei quali era il pickup che avevamo visto il giorno prima.

Stavo pensando a cosa accidenti potevano tramare Morgana e i suoi, lì in mezzo al nulla, quando Rob mormorò, indicando verso il cielo: «Guardate là...»

Un puntino nero si avvicinava rapidamente verso di noi: era un elicottero. Dopo pochi secondi udimmo il rumore delle pale, che si fece sempre più assordante.

«State giù, non devono vederci!» gridò Hal, tirandoci al riparo di una fila di cassonetti dei rifiuti, vuoti e arrugginiti.

L'elicottero atterrò davanti al magazzino. In quel preciso istante le porte metalliche si spalancarono e ne uscirono tre uomini vestiti di nero che trasportavano con un muletto un paio di grosse casse. Le caricarono a bordo, poi rientrarono nell'edificio e le porte iniziarono a chiudersi lentamente alle loro spalle.

Io scattai in piedi. «Entriamo, possiamo farcela!»

«Fermati, sei pazza!» esclamò Tyra, ma io ero già partita di corsa attraverso il cortile polveroso.

Dal rumore di passi alle mie spalle capii che i miei amici avevano deciso di seguirmi, ma appena fui abbastanza vicina alle porte semiaperte del magazzino, sbirciai all'interno e mi immobilizzai all'istante.

L'enorme spazio, avvolto nella penombra, era pieno fino all'ultimo centimetro di manichini. File e file di manichini, vestiti in completo nero giacca e cravatta, che fissavano nella mia direzione con i volti vuoti. Saranno stati centinaia... forse migliaia.

Hal, Rob e Tyra mi finirono addosso.

«Che succede, perché ti sei fermata di colpo?»

Io non risposi. Mi limitai a indicare con mano tremante l'interno del magazzino.

In quel momento le porte si chiusero con un rumore metallico davanti a noi, precludendoci definitivamente la possibilità di infiltrarci.

«Cosa significa?» chiese Tyra, l'orrore palpabile nella sua voce.

«Non so, ma quelli sono i manichini di cui parlavano alla radio. Li ha presi *lei*. Non può essere nulla di buono...»

«Ehi, voi!» esclamò una voce familiare, che ci fece girare tutti di scatto. Era Miller.

Appoggiato con fare rilassato alla parete del magazzino, lanciò qualcosa in direzione di Rob. «Avete perso questo!»

Rob lo prese al volo. «Il mio cellulare!» esclamò, fin troppo gioiosamente per i miei gusti.

A quel punto però Miller lasciò cadere ogni traccia di finta cortesia.

«Vi avevo avvertito di smetterla di ficcare il naso...» ringhiò, mentre alle sue spalle comparivano gli altri tre uomini che avevano caricato le casse sull'elicottero.

Estrassero dei manganelli e caricarono verso di noi.

Nove giorni per salvare il mondo!

Ci furono addosso in un attimo, senza quasi darci il tempo di evocare le nostre armi.

Hal e io, spada in pugno, balzammo davanti a tutti. Cercavamo di assorbire il grosso dell'impatto con il piatto delle lame, tentando disperatamente di rispondere ai colpi di manganello dei nostri aggressori senza ferire nessuno.

Tyra, che si trovava subito dietro di noi, lanciò la statuina di Talos ma quella, invece di trasformarsi in un gigante di bronzo, centrò in fronte Miller e cadde tintinnando al suolo. Il colpo secco lo rintronò e per un istante lo rese più lento e traballante, ma anche decisamente più furioso.

«Oh, andiamo, Talos!» esclamò Tyra, frustrata. «Che

razza di scherzi sono questi? Trasformati, adesso!». Poi tese la mano come se volesse evocare la lancia di Europa... ma questa volta tra le sue mani non apparve niente.

«Dai, avanti!» ripeté, sull'orlo di una crisi di nervi. La osservai sgomenta. Era evidente che in quel momento era troppo agitata per evocare l'arma della sua antenata.

Rob si parò davanti a lei, per farle da scudo con il suo corpo, e ripeteva tra i denti: «Andiamo arco di Robin, è il tuo momento! Vai, appari! Ora! Eddai!»

Io però smisi quasi subito di prestare attenzione ai loro inutili tentativi: dovevo concentrarmi sul mio avversario per evitare che i suoi colpi di manganello mi sfondassero il cranio. Stavo riuscendo, faticosamente, a tenerlo lontano, quando all'improvviso la mano che reggeva la spada divenne debole e senza forza, come quando fuori fa troppo freddo e a un certo punto non riesci più a piegare le dita. Persi la presa sull'impugnatura ed Excalibur cadde al suolo con un clangore metallico.

Un attimo prima che una manganellata di Miller mi raggiungesse la tempia, Hal si lanciò in mezzo e bloccò il colpo con la spada di Sigfrido.

«Angy, che fai!?» esclamò, prima di ributtarsi alla battaglia. Io mi guardai le mani, senza sapere che fare o cosa rispondergli. Excalibur, senza il mio contatto a tenerla ancorata in questa dimensione, era scomparsa, tornata magicamente nell'armeria di Avalon, e senza di me, Hal era rimasto da solo contro tre avversari. Stringeva i denti per lo sforzo ed era madido di sudore. Per il momento riusciva ancora a tener loro testa, ma era evidente che non avrebbe potuto resistere a lungo.

Mi stavo guardando attorno alla disperata ricerca di qualcosa, qualsiasi cosa, con cui armarmi e ributtarmi nella mischia, quando con la coda dell'occhio colsi un movimento alle nostre spalle...

Dall'ombra gettata dal capannone sulla terra bruciata del deserto, gli spettri di Mordred si alzavano brulicando dal suolo, come lingue di fumo da una padella che brucia.

Aprii la bocca per gridare un avvertimento, ma non feci in tempo a proferire un suono che le ombre si avventarono su di noi.

Non facevano alcuna distinzione tra noi e gli scagnozzi di Morgana: attaccavano sia noi che loro, cercando di ghermirci con le mani spettrali protese...

Miller e i suoi furono costretti ad abbandonare il loro duello con Halil, a girarsi e a cercare di difendersi.

Era la nostra occasione!

«Via, via, andiamocene!» gridai, tirando Halil per la maglietta, ma lui sembrava indeciso se fuggire o approfittare della situazione per attaccare il nemico alle spalle.

Solo dopo un altro paio di strattoni da parte mia Hal sembrò convincersi che affrontare sia le ombre che gli scagnozzi era troppo anche per lui.

Si girò e assieme ci precipitammo dietro Rob e Tyra che non essendo in grado di combattere erano già scappati a gambe levate.

Mentre mi affannavo per raggiungerli, tenendo stretto al petto il braccio intorpidito, sentii dietro di me delle grida raccapriccianti.

Mi voltai a guardare e vidi una matassa di ombre che ricopriva Miller e compagni come una cupola brulicante, simili a una manciata di viscidi lumaconi scuri che si ammassavano gli uni sugli altri.

Repressi un conato di vomito e ignorando i polmoni che bruciavano per lo sforzo, diedi più forza ancora alle mie gambe e raggiunsi la macchina.

Ci pigiammo tutti disordinatamente all'interno, Tyra mise in moto e partì, con una graffiata sgraziata della chiave d'accensione e uno stridio di pneumatici che lasciarono una striscia scura sull'asfalto bianco di polvere.

Solo quando ci fummo lasciati la città alle spalle tirammo finalmente il fiato, ma per alcuni lunghi minuti nessuno disse niente.

Tyra teneva gli occhi sgranati sulla strada. Hal, meditabondo, teneva lo sguardo fisso fuori dalla finestra. Rob aveva la testa reclinata sul sedile posteriore e guardava il soffitto dell'auto con la fronte aggrottata.

Io mi scrutavo la mente in cerca di qualcosa da dire, qualsiasi cosa, per incoraggiarli, ma non mi veniva in mente niente. La verità era che la situazione era disperata: tutti i nostri sforzi per cercare una soluzione non servivano ad altro che a farci capire che in realtà i problemi erano molto più grandi di quello che pensavamo.

A che servivano tutti quei manichini? Dove li stavano portando? E perché le ombre di Mordred avevano attaccato anche gli scagnozzi di Morgana e non solo noi?

Avevamo solo nove giorni per salvare il mondo e continuavamo ad avere più domande che risposte. E quelli che avrebbero dovuto consigliarci e guidarci erano spariti, chiusi in una dimensione parallela da cui non ricevevamo più alcun contatto. Mi lasciai sfuggire un sospiro, lunghissimo, di almeno cinque secondi.

«Già...» mugugnò Rob.

«Pensate che le ombre li abbiano catturati? Gli uomini di Morgana, intendo» mormorò Tyra.

Halil scosse la testa. «Non lo so, ma è possibile che Morgana abbia messo in atto delle contromisure per una situazione del genere. Mi sembra strano che si siano lasciati cogliere così alla sprovvista...»

Sobbalzai, con il cuore in gola: mi ero resa conto di una cosa tremenda. «È perché c'eravamo noi! Siamo stati noi a rivelare la loro posizione alle ombre!»

Hal si girò verso di me, guardandomi oltre il poggiatesta del sedile. «Che vuoi dire? Com'è possibile che siamo stati noi?»

Strinsi gli occhi, era arrivato il momento che temevo, quello di rivelare la verità, una verità che stavo evitando da giorni di ammettere del tutto, anche con me stessa.

«Durante la battaglia di Camlann, qualche mese fa, quando siamo entrati nell'accampamento di Mordred... un'ombra mi ha toccata. Niente di che, mi ha solo sfiorato il polso. Ma da allora, dovunque io sia, riescono a trovarmi, come se avessi addosso un segnale gps» conclusi, sbuffando per la frustrazione.

Rob Annuì, a lui avevo già raccontato quello che era successo, ma Hal e Tyra mi guardavano con orrore, l'uno da oltre il sedile l'altra dallo specchietto retrovisore.

«È per questo che ci hanno attaccati a Los Angeles?» chiese Tyra.

«Sì, probabilmente è così...» mormorai.

«Ma com'è possibile che riveli la tua posizione?» chiese Hal.

«Non lo so, ma a questo punto temo sia come una specie di marchio».

Hal tese la mano verso di me. «In che senso? Fa vedere...»

Io gli mostrai il polso su cui non c'era alcun segno. «No, non c'è niente. È come se fosse un marchio invisibile, che si sente e basta... mi dà solo una sensazione di freddo.»

«È per questo che hai lasciato cadere Excalibur prima?» disse Rob, le sopracciglia aggrottate. «Ti fa male?»

Allora se ne era accorto... speravo che almeno quello rimanesse un segreto, per risparmiare ai miei amici l'ennesima preoccupazione. Ma ormai le carte erano sul tavolo, e mi toccava confessare.

«No, non fa male. Mi sento come se avessi perso la sensibilità, come se le dita non mi rispondessero più e non riuscissero a stringere con forza l'impugnatura.

La fronte di Rob si fece ancora più corrucciata.

«Ma prima non era così! Qualche giorno fa la spada la tenevi senza problemi... vuoi dire che sei peggiorata?

Accidenti a lui... e al suo prestarmi continuamente attenzione. «Sì, è così...» fui costretta ad ammettere. «Ma non tanto, voglio dire, adesso formicola un po', ma la mano...» aprii e chiusi il pugno, un po' a fatica, ma con successo, «...funziona ancora».

Hal si girò e tornò a guardare la strada.

«La situazione è grave... Angy sta peggiorando. Non possiamo andare avanti da soli, guardiamoci in faccia, non sappiamo cosa fare... Dobbiamo assolutamente trovare il modo di entrare ad Avalon, o almeno di contattare l'Alto Consiglio. Non abbiamo alternative: basta perdere tempo a spiare Morgana o a cercare di capire cosa fa Mordred! Avalon deve essere la nostra priorità assoluta. Ormai ne va della sicurezza di uno dei nostri. Della nostra leader.» disse.

Io sbattei le palpebre. Pensava che io fossi la leader? Io avevo sempre pensato che fosse lui. O Geira, quando era ancora con noi. Fantastico, magari a questo punto Rob pensava che il capo fosse Tyra, e Tyra pensava che fosse Rob.

Ignara delle mie elucubrazioni, Tyra proseguì: «Già, ma come possiamo fare? Le abbiamo provate tutte ormai.»

«Tu non potevi mica contattare Viviana?» disse Rob, mordendosi via una pellicina dal pollice.

«Te l'ho detto, non ci riesco. L'avete visto tutti, no? La mia magia è inutile, sono come una lampadina scarica. Non ho più alcun potere, non sono più in grado di fare niente...» concluse con un sospiro affranto.

«Devi solo smetterla di dubitare di te stessa» le dissi, convinta. «Sei sempre stata inarrestabile quando credevi nelle tue capacità.»

«...e come posso, adesso, dopo quello che è successo?» mormorò Tyra, tanto piano che quasi non riuscii a sentirla.

«I tuoi poteri torneranno!» esclamò Hal, deciso. «Ma finché questo non succederà, dovremmo trovare qualcuno in grado di usare la magia... qualcuno a cui Tyra possa insegnare l'incantesimo per comunicare con Viviana.

«È una buona idea!» esclamò Rob, raddrizzandosi sul sedile. «Hal, conosci qualche incantatore? Magari, qualche ex studente di Avalon sapeva usare la magia?

Lui scosse la testa. «Che io sappia, Tyra è la prima, gli incantatori sono estremamente rari.»

Mi si accese una lampadina in testa.

«Le incantatrici!» gridai, saltando in piedi, e sbattendo il cranio contro il tettuccio dell'auto.

Mi risedetti, troppo esaltata dalla rivelazione per curarmi del dolore, e proseguii imperterrita: «Ragazzi le incantatrici! Eea! Il portale perenne! A Eea c'è il portale per la dimensione magica che non viene mai chiuso. Ma come abbiamo fatto a non pensarci prima?

«Ma certo!» gridò Hal, sbattendo il palmo sul finestrino.

«Sì, è ovvio!» esclamò Tyra.

«Angy sei un genio!« esclamò Rob stritolandomi in un rapido abbraccio. «È fatta, allora! Adesso dobbiamo solo...» il suo entusiasmo si sgonfiò improvvisamente «Andare in Italia.»

Lanciammo un sospiro collettivo.

I problemi erano tutt'altro che finiti.

Ma, almeno, avevamo un obbiettivo...

Speranza

Rientrammo a casa di Tyra che ormai erano le prime luci dell'alba e crollammo lì dove ci trovavamo, chi sul divano, chi in poltrona, chi direttamente sul pavimento, come Rob.

Eravamo talmente sfiniti che non ci svegliammo neanche quando le coinquiline di Tyra attraversarono il soggiorno per uscire dall'appartamento, borbottando tra loro qualcosa su quanto fossimo disadattati e su che pessima influenza avessimo sulla loro amica.

Solo di primo pomeriggio iniziammo ad alzarci, uno alla volta. Io fui la prima a svegliarmi, disturbata dalla luce del giorno, ma non avevo la forza di muovermi, e rimasi stesa a pancia in giù sul divano a fissare tra le palpebre socchiuse gli alberi che ondeggiavano fuori dalle vetrate.

Stavo per riaddormentarmi, quando dalla poltrona di fianco a me Tyra si alzò, attraversò la stanza in punta di piedi e andò in cucina a preparare la colazione per tutti, almeno a giudicare dal rumore di stoviglie che poco dopo raggiunse le mie orecchie.

Rob si svegliò facendo un gran chiasso e andò in bagno strascicando i piedi. Sentii una serie di tonfi e imprecazioni. Sorrisi. Di sicuro aveva urtato qualcosa, lungo e scoordinato com'era.

A quel punto mi alzai, anzi, rotolai giù dalla poltrona, e mi abbattei sul pavimento. Da lì, con un solo occhio aperto, osservai Hal che, appena sveglio, già si era impegnato in una serie di Saluti al Sole sul tappeto del salotto.

«Non c'è niente di meglio di un po' di yoga mattutino per risvegliare il corpo e attivare lo spirito!» dichiarò tutto allegro. «Coraggio, Angy, vieni anche tu, che ti riattivi!»

Per un attimo mi sembrò di essere tornata ad Avalon, quando Hal e Geira ci mettevano sotto con gli allenamenti fin dalle prime luci dell'alba. Provai una tale gioia che mi svegliai del tutto. Poi però mi ricordai che ero a Los Angeles e che eravamo in un mare di guai.

«Mmh... No, grazie.» biascicai stropicciandomi gli occhi impastati di sonno. «Ti lascio campo libero, io vado a mettere in corpo un po' di sostanza.»

Il profumo del caffè caldo e dei muffin scaldati in forno aleggiava per tutta la cucina. Tyra mi sorrise seduta su una delle sedie da bar della penisola, ravvivandosi i ricci dietro la testa.

«Hai dormito bene?» le chiesi, mentre mi sedevo di fronte a lei.

«Sì, grazie Angy. E tu?»

Notai che il suo umore sembrava migliorato. Forse le aveva fatto bene un po' di avventura, l'aveva costretta a non pensare...

«Sono a pezzi, ma ho dormito abbastanza, grazie.» Avrei voluto continuare a chiacchierare, ma avevo paura di toccare la corda sbagliata e farle passare il buon umore.

Così mi limitai a sorseggiare il mio caffè e a godermi il silenzio. Pochi minuti dopo arrivarono anche Hal e Rob, il primo impeccabile e fresco come una rosa, il secondo con l'aspetto di uno appena steso da un tir.

Davanti alla meravigliosa colazione che Tyra ci aveva imbandito, stendemmo fogli e penne e iniziammo a lavorare al nostro piano.

Avevamo otto giorni prima che si verificasse la Luna di

Sangue, e dovevamo raggiungere l'Italia, poi Eea e infine Avalon nel minor tempo possibile.

«Non abbiamo molto tempo per racimolare i soldi per il viaggio» constatò Hal. «Dobbiamo farlo in modo onesto...» aggiunse fissando intensamente Rob «...e non possiamo metterci più di due giorni, o sarà troppo tardi! Una bella sfida, no? Allora facciamo il punto: come siete messi?».

Tyra non aveva problemi economici, aveva lavorato sodo, le sue creazioni nel campo della moda le fruttavano bene e lei era stata brava a mettere da parte qualcosa. Lo stesso valeva per Halil, che aveva un posto fisso nella palestra dello zio. Il problema eravamo Rob e io, tanto per cambiare. Noi avevamo solo sedici anni e di certo non lavoravamo, al massimo svolgevamo qualche lavoretto estivo o ci offrivamo per ripetizioni scolastiche e taglio dell'erba dei vicini, giusto per pagarci le gite fuoriporta o un cinema con gli amici. Perciò, con un ammirevole spirito di squadra, Tyra e Hal si offrirono di pagarci gran parte del biglietto aereo, mentre per la somma mancante avremmo collaborato tutti.

Estratto il portatile, Hal spulciò diversi siti di compagnie aeree cercando le migliori offerte per acquistare quattro biglietti di andata per l'Italia. Al ritorno ci avremmo pensato in seguito. Non eravamo nemmeno sicuri di riuscire a sconfiggere Mordred e distruggere la Pietra Nera in otto giorni, figuriamoci programmare un rientro in patria!

«Si va, si va, si va all'avventura, all'av-ven-tu-raaa!» canticchiava Hal a bassa voce, con il portatile sulle ginocchia. Poco dopo esultò: aveva trovato i voli, con una compagnia low-cost che prevedeva uno scalo interminabile a Mosca e quasi 18 ore di viaggio, ma era tutto quello che potevamo permetterci.

Tyra scartabellava la rubrica e l'agenda che usava per lavoro, segnando numeri di telefono e nomi su un foglio a parte. Mentre scriveva, appoggiata sul bracciolo della poltrona, borbottava tra sé e con la sinistra si tormentava un ricciolo che le scendeva sugli occhi.

In quanto a me, compilavo liste: vestiti, stivali, accessori per capelli, ma soprattutto medaglioni, catenelle, tiare, spille, pergamene, mantelli, bandiere e spade.

Era la mia collezione di oggetti e costumi medievali, la collezione di una vita. Ognuna di queste cose era legata a un evento particolare o al ricordo di amicizie nate alle Renaissance Fair, ma erano oggetti che una volta acquistati non avevo più usato. Erano rimasti a prendere polvere in cima al mio armadio e nel garage della mia amica Maggie, perciò mi ero detta che, se fossi riuscita a venderli in qualche asta online grazie all'aiuto di Nate e di Maggie, avrei tirato su un bel gruzzoletto. Anche se ci ero molto affezionata, potevo disfarmi di quegli oggetti.

Rob infine... beh, lui gironzolava per casa facendo battute e lanciandosi noccioline in bocca, che masticava insieme a qualche frase di incoraggiamento per ciascuno di noi. Più che altro sembrava frustrato di non avere modo di contribuire, tanto che a intervalli regolari ci chiedeva ad alta voce se potesse fare qualcosa.

«Ecco, ho io qualcosa da farti fare...» disse Tyra, mettendo giù il telefono che l'aveva tenuta impegnata per una buona mezz'ora, e ficcandogli in mano un post-it giallo.

Rob lo lesse, annuì con cipiglio determinato, e un minuto più tardi era già fuori dalla porta.

Io morivo dalla voglia di sapere quale compito gli fosse stato assegnato, ma non ebbi modo di chiederglielo perché stavo parlando al telefono con Maggie.

«Pensi di poterlo fare?» le domandai, speranzosa.

«Certo!» mi rassicurò lei. «Se è proprio questo quello che vuoi! Sei sicura?»

Come sempre, per quanto le fosse sembrata strana la

mia richiesta, Maggie non si era tirata indietro, ma mi aveva fatto, ovviamente, un sacco di domande. Mi conosceva molto bene e sapeva che ero troppo affezionata a quegli oggetti e a quegli abiti per volermene disfare così all'improvviso. Ciò che ignorava però era che nelle mie vene scorreva nientemeno che il sangue di Artù, e che ad Avalon ero circondata da ogni genere di oggetto antico, autentico, per cui la mia collezione mi appariva ora davvero per quello che era: paccottiglia medievale, di qualità, certo, ma nient'altro che paccottiglia... per cui mi era più facile separarmene.

«Nate penserà a inserire nel sito *Suggestioni della Storia* l'elenco delle tue riproduzioni...» continuò Maggie «...e io mi occuperò delle spedizioni celeri. Vedrai, sono così belle e ben tenute che le venderai in un attimo. Andranno a ruba!»

Ridacchiai, grata, ma un po' in imbarazzo. «Beh, se non altro ti libererò il garage dai miei scatoloni! Sei stata davvero un'amica a tenerli per me.»

«Ah, figurati!» esclamò. «So che i tuoi non li vedono di buon occhio... e poi nel tuo appartamento non c'è posto per tutta questa roba. Piuttosto, buona fortuna con il tuo Open Day all'UCLA! Quando torni voglio sapere tutto, capito?»

Io avrei voluto sparire. Era l'ennesima bugia che le raccontavo, ma come al solito non potevo fare diversamente. Pensai che avrei messo in conto anche questo a Merlino e all'Alto Consiglio di Avalon. Chiusi la telefonata con un sospiro e raggiunsi gli altri. Hal stava parlando con Tyra e sembrava su di giri.

«Adesso? Ma proprio subito?!»

Tyra sollevò le sopracciglia. «Ovvio. Non vorrai far attendere il direttore...». Poi gli passò un post-it con scarabocchiato sopra un indirizzo.

«Wow, non ci credo!» squittì Hal, ammirando il bigliettino. «È il mio sogno, lo posterò su tutti i miei social. La palestra di mio zio farà il pieno di iscritti, quest'anno! Grazie Tyra!» E sparì in bagno.

«Che mi sono persa?» domandai a Tyra.

Lei sogghignò. «Oh, ho fatto un paio di telefonate e ho scoperto che si è ammalato il modello per il photoshoot della Like oggi pomeriggio e hanno bisogno di un sostituto. Visto che conosco il direttore, ho messo una buona parola per Hal... e diciamo che tutte quei selfie post-palestra che mette sui social hanno giocato a suo favore. Ha avuto il lavoro.»

«*Quella* Like? Tu conosci il direttore della Like?»

Tyra fece spallucce come se fosse cosa di poca importanza. «Sì, proprio quello. Ho collaborato con la casa produttrice per disegnare delle scarpe sportive da donna e il direttore è rimasto molto soddisfatto del mio lavoro.»

«Sei una grande!» esclamai, sollevando una mano per darle il cinque. E poi aggiunsi: «Sono davvero contenta che sia tornata la nostra vecchia Tyra.»

«Vecchia?» ripeté Tyra, fingendosi scandalizzata.

«Due anni più di me contano, cosa credi!» scherzai. «Ah, ora che mi viene in mente, che cosa dovrà fare Rob? L'ho visto uscire come una furia, prima.»

Tyra mi guardò di sottecchi. «Non ho contatti soltanto nel mondo della moda... Conosco un mucchio di gente.»

«E?»

«E uno dei miei più cari amici del college lavora in un burger dinner qui vicino.»

Continuava a tenermi sulle spine. «Quindi Rob... farà l'aiutante in cucina?» tirai a indovinare.

Tyra scosse la testa mordendosi un labbro, divertita.

«Allora servirà ai tavoli.»

«No.» rivelò alla fine. «Rob farà il promoter del locale.»

«Oh!» esclamai, sorpresa. Rob un modello? Non era un brutto ragazzo, e poi era molto alto, ma non era certo un

Adone, ed era un miracolo se riusciva a mettere due passi in fila senza inciampare...

«Sì, ma...» mi rivelò Tyra abbassando la voce con fare da cospiratrice. «Lui non sa ancora che dovrà indossare per tutto il giorno un costume da pollo.»

Per un attimo la fissai. Poi scoppiai a ridere, e Tyra si aggiunse a me, e forse più per il calo di tensione che perché fosse effettivamente così divertente, non riuscimmo più a smettere, e appena una sembrava calmarsi l'altra faceva il verso del pollo e tutto ricominciava.

Andammo avanti fino a farci venire le lacrime agli occhi e il mal di pancia e a ritrovarci esauste come dopo una maratona. Quando finalmente ci calmammo, ancora con il sorriso sulle labbra, vidi riflesso negli occhi di Tyra qualcosa che sentivo anche io, e che non avevo provato da moltissimo tempo: un po' di speranza...

Persone strane

Due giorni dopo, come da programma, eravamo miracolosamente riusciti a raggiungere la somma che mancava per i nostri biglietti aerei.
Grazie a Nate e a Maggie, pure io avevo racimolato un bel gruzzolo, mentre Rob non solo aveva messo da parte i soldi per il viaggio, ma con la sua simpatia e il suo impegno aveva procacciato hamburger gratis per tutti.
Eravamo così elettrizzati all'idea di partire, che la mattina del terzo giorno ci svegliammo tutti all'alba (tutti meno Rob, ovviamente) e in pochi minuti non solo avevamo già i bagagli pronti ma avevamo persino trovato il tempo di salutare a turno le nostre famiglie con una video chiamata. Sapevamo che con ogni probabilità non avremmo

avuto modo di contattarle per un bel po'. Nessuno di noi osava dirlo apertamente, ma sapendo chi andavamo ad affrontare, c'era anche il rischio che quella fosse l'ultima volta che parlavamo con loro.

Le due ore successive, però le perdemmo tutte a riordinare il macello che avevamo piantato in casa di Tyra. Per quanto ci stessero antipatiche le sue coinquiline, non ci sembrava giusto partire lasciando il salotto ridotto peggio di una discarica.

Solo Tyra non partecipò alle operazioni di bonifica: era troppo impegnata a cercare di mettersi in contatto con Jaali, il giovane incantatore che avevamo conosciuto durante la nostra prima visita nell'isola di Eea, nonché l'unica persona al mondo in grado di aiutarci a ritrovare il Portale Perenne che metteva in comunicazione il promontorio del Circeo, nel mondo reale, con il mondo magico. Jaali era, in poche parole, la nostra unica speranza di tornare ad Avalon.

Lui e Tyra si erano scambiati i numeri di telefono, ma Jaali sembrava irreperibile. All'ennesimo tentativo andato a vuoto mi sedetti sul bracciolo della poltrona, accanto a Tyra.

«Pensi che... gli sia successo qualcosa?» sussurrai. Con

tutto quello che avevamo passato negli ultimi giorni, mi aspettavo il peggio.

Lei scosse la testa con aria pensosa, senza smettere di chiamarlo. Finalmente, quando ormai stavo per perdere la speranza, Jaali rispose, ma la chiamata durò pochissimo. Tyra restò qualche istante a fissare pensosa il telefono. «Qualcosa non va...» ci riferì poi, cupa. «Jaali era contento di sentirmi, ma mi ha liquidato subito. E mi è sembrato molto nervoso, come se qualcosa lo inquietasse.»

«Forse aveva solo sonno...» farfugliò Rob in mezzo a un lungo sbadiglio. «Che ore saranno adesso in Italia?»

Tyra controllò l'orologio. «Non lo so di preciso, ma penso sia pomeriggio...» rispose. «E non credo proprio che Jaali sia il tipo da pisolino pomeridiano! Ma forse hai ragione tu, Rob. In fondo non lo conosciamo abbastanza. Comunque è rimasto molto sorpreso che i passaggi dei Leggendari siano bloccati e mi ha subito offerto il suo aiuto. Questo è l'importante.»

Ora non ci restava che partire.

All'aeroporto di Los Angeles arrivammo già sfiniti, soprattutto Hal e Rob, che avevano lavorato sodo per due giorni, ma ci imbarcammo senza problemi.

Dopo diciotto ore, uno scalo interminabile a Mosca,

un cambio di aereo, e una considerevole dose di sbadigli, atterrammo in Italia. Era pomeriggio e l'aeroporto di Fiumicino ci accolse con un sole piacevolmente caldo e un andirivieni caotico di turisti, mescolato a gruppetti compassati di uomini e donne d'affari di ogni nazionalità.

Mentre ci avviavamo alla fermata dell'autobus che ci avrebbe condotti al Circeo, i miei compagni chiacchieravano e scherzavano tra loro. Certo, erano un po' stravolti, stropicciati e intorpiditi dal lungo volo, ma mi resi conto che l'unica a non aver dormito affatto ero stata io.

Non ero riuscita a trovare una posizione comoda e avevo finito per rigirarmi sulla poltrona per tutto il viaggio, come se avessi un attacco di orticaria. Ero stravolta e il braccio toccato dall'ombra mi formicolava come non mai.

Mi attardai qualche istante, trascinandomi in fondo alla mia piccola comitiva, e ne approfittai per smuovere la spalla, tentando di recuperare un po' di sensibilità al braccio. Per fortuna non impiegai molto. Forse il merito fu della luce cristallina in cui mi immersi per qualche istante, ad occhi chiusi... finché una voce mi riportò all'ordine. «Angy, che fai, dormi in piedi? Datti una mossa o perderemo l'autobus!»

Era Hal che mi aspettava nel piazzale, visibilmente

seccato, e mi incitava picchiettando sull'orologio.

Aveva ragione: mancavano meno di cinque giorni alla Luna di Sangue e non potevamo permetterci di perdere una sola coincidenza. Mi affrettai a seguirlo sul vecchio autobus che aspettava con il motore acceso e mi abbattei sul sedile caldo di sole.

Pochi istanti dopo, cullata dal soporifero sballottio del mezzo sull'asfalto, mi misi a osservare il tranquillo paesaggio che fiancheggiava l'autostrada, con la testa poggiata contro il finestrino, mentre i miei amici chiacchieravano allegri, seduti accanto a me. I campi, tinteggiati dai colori caldi delle diverse colture, erano illuminati dall'intensa luce dorata del tardo pomeriggio.

Poco dopo persi anche le conversazioni dei miei amici e mi abbandonai a un dormiveglia ristoratore.

Il mio risveglio non fu altrettanto dolce: il nostro autista frenò di botto, e io sbattei la testa sul sedile davanti a me.

«Buongiorno, signorina Pendrake!» ridacchiò Hal, spuntando dal sedile davanti. «Riposato bene?»

«Divinamente...» mugugnai, strofinandomi la fronte.

«Svelti, siamo arrivati!» ci incoraggiò Tyra, già in piedi nel corridoio. «Non intendo stare un minuto di più su questo trabiccolo puzzolente... mi è venuta la nausea, a furia di tornanti e buche!»

Scesa dall'autobus respirai a fondo e pensai che il paesaggio era ancora più bello di come lo ricordavo.

Ci trovavamo su un'altura da cui si poteva ammirare l'orizzonte cobalto del mare e l'aria profumava di erbe aromatiche e salsedine. Poco più in là, proseguendo sulla sinistra, l'alta scogliera digradava rapidamente verso un borgo di casette bianche dai tetti rossi e, ancora più in basso, verso una spiaggia punteggiata di ombrelloni colorati.

«Che meraviglia! Mare, sole, aria buona!» declamò Rob, stiracchiandosi.

Tyra sbuffò, guardandosi attorno. «Ma dov'è Jaali? Mi ha scritto che ci avrebbe aspettati alla fermata! Provo a chiamarlo.»

Si allontanò qualche passo per trovare più campo e io la osservai mentre camminava, nervosa, con il telefono premuto contro l'orecchio. A mano a mano che la conversazione proseguiva, si rabbuiava in volto. Dopo neanche un minuto riattaccò.

«Allora?» le domandai, in apprensione.

Tyra fissava lo schermo ormai spento del cellulare. «Jaali è chiuso in casa e non può uscire... ha farfugliato qualcosa su un pericolo... che "il portale è assediato"».

Si girò a guardarci, un misto di paura e confusione negli occhi. «Mi ha condiviso la posizione gps del portale sulla collina. Ha detto che se vogliamo possiamo provare a raggiungerlo da soli, ma che correremmo un grosso rischio. È terrorizzato.»

«Non capisco... chi, o che cosa, assedia il portale? Gli uomini di Mordred, le sue ombre?» chiese Rob, scuro in volto.

Tyra scrollò le spalle. «Non ne ho idea. Jaali non faceva altro che ripetere due parole: persone strane. Non penso che lo sappia nemmeno lui.»

«Cosa vogliamo fare? Andiamo comunque al portale? Se Jaali è in pericolo non possiamo lasciarlo lì! Dobbiamo andare a casa sua a controllare che stia bene. Fatti mandare l'indirizzo!» esclamai rimettendomi lo zaino, pronta a correre da lui.

Hal mi trattenne con dolcezza, mettendomi una mano sulla spalla. «Frena, Angy! Abbiamo i minuti contati, manca pochissimo alla Luna di Sangue... Jaali mi sta simpatico, ma non possiamo perdere una giornata intera ad aiutarlo mettendo a rischio tutto il resto del mondo magico. Se Mordred riuscisse a usare la Pietra Nera nel momento dell'eclisse di luna, assorbirebbe il potere di tutti i maghi e gli incantatori, e sarebbe la fine anche per Jaali. E a quel punto sarebbe stato inutile avere perso tempo per aiutarlo...»

Io mi rifiutai di ascoltarlo. Detestavo fare questi calcoli, scegliere il male minore in una situazione. Preferivo trovare un modo di risolvere tutto...

Mentre mi arrabattavo per capire cosa fare, mi cadde lo sguardo sulla persona che era seduta ad aspettare alla fermata dell'autobus a qualche metro da noi. Solo in quel momento mi resi conto che se ne stava lì, ferma immobile, da quando eravamo scesi.

Guardai meglio. Era un uomo alto e magro, pallidissimo, con una polo rosa e un cappellino da baseball giallo che gli gettava ombra sul viso, nascondendolo alla vista; teneva lo sguardo fisso sul cellulare e non muoveva neanche il pollice per scrollare lo schermo che, da quello che potevo vedere, appariva spento.

Forse si era solo appisolato, ma sentii un brivido scorrermi lungo la nuca e tornai a girarmi verso i miei compagni. «Ragazzi, forse è il caso di muoverci!»

Proprio in quel momento mi accorsi che, oltre la spalla di Hal, il semaforo era cambiato da rosso a verde e la signora che aspettava davanti alle strisce non si era mossa per attraversare. Sembrava rigida e immobile come una statua. Anche il suo volto era nascosto, da un cappello da sole con la tesa larga. Il vento marino agitava il fazzoletto di seta che portava al collo e l'orlo del suo vestito, ma nient'altro di lei si muoveva.

Rob, che non si era ancora reso conto della situazione, sospirò: «Sì sono d'accordo di muoverci, ma per andare dove? Non abbiamo ancora deciso se andare diretti al portale o aiutare Jaali...»

Dietro di lui, il semaforo cambiò di nuovo, da verde a rosso. La signora non si mosse.

Mi girai di nuovo: il tipo seduto alla fermata era ancora immobile. Mi voltai, verso il lato opposto della strada: un ragazzo, con una felpa gialla dal cappuccio alzato, aspettava sul marciapiede, dandoci le spalle. Immobile.

«Angy che succede? Stai bene? Mi sembri un po' grigiastra...» fece Rob, scrutandomi in volto.

«Persone strane...» mormorai, ricordandomi di quello che aveva detto Jaali a Tyra.

Eravamo in pericolo.

«Persone strane?» ripeté Tyra guardandosi attorno «Non capisco...»

Tirai le maniche di Rob e Hal. «Ragazzi dobbiamo andarcene da qui, qualcosa non va... non importa dove, ma allontaniamoci da qui.»

I miei amici mi seguirono riluttanti, stringendosi attorno a me per chiedermi spiegazioni. «Si può sapere che hai? Noi c'è niente di strano...» borbottò Hal, alzando gli occhi al cielo. «Sei un po' troppo impressionabile, mi sa...»

«Ma sì, fateci caso, è pieno di persone che sono completamente immobili.»

«Non capisco cosa intendi. Guarda, lì c'è un bambino che gioca, una vecchietta con il cane...» iniziò Rob, ma poi si fermò a mezza frase. «Ora che me lo fai notare, quel tipo lì, con la polo rosa, è da un po' che non si muove.»

Io mi girai di scatto e dietro di noi, a una decina di metri di distanza, c'era il signore con il cappellino che avevo visto seduto alla fermata del tram.

Solo che adesso era in piedi, appoggiato a un palo.

Ci aveva seguiti?

Però, in quel momento, anche se lo osservai piuttosto a lungo, rimase perfettamente immobile. Neanche quando un'auto gli passò strombazzando a un palmo di distanza, si girò a guardarla, né sobbalzò.

Sentii una morsa di inquietudine attorno allo stomaco.

«Oh no, ci stanno seguendo...

«Ma chi ci sta seguendo, Angy? Spiegati!»

«Loro! Insomma, le *persone strane* di cui parlava Jaali!»

Tyra rabbrividì. «Allora Jaali è davvero in pericolo. Dobbiamo andare da lui!»

«Ve l'ho già detto, non credo sia una buona idea...» ripeté Halil. «E se finora non l'hanno attaccato, vuol dire che forse vogliono solo impedirgli di uscire e di avvicinarsi al portale. Mi spiace dirvelo, ma probabilmente è noi che vogliono. Sono il nostro comitato d'accoglienza!»

Io annuii. «Scriviamo a Jaali di avvisarci se viene attaccato. Finché non è in immediato pericolo la cosa migliore è andare a controllare il portale. Sembra che la soluzione a questa faccenda si trovi lì...»

Tyra tirò fuori il cellulare e guardò sul navigatore la posizione del portale che gli aveva mandato Jaali.

«Per di là, seguitemi...»

Mentre attraversavamo il paese, avevo l'impressione che il numero di quelle che anche noi avevamo cominciato a chiamare *persone strane* aumentasse sempre di più. Non era facile notarle: si mescolavano tra la gente normale, che si faceva semplicemente i fatti propri, senza badare a noi né a loro. Ma c'erano, ed erano ovunque...

Quando ci fummo lasciati il paese alle spalle, la situazione era ormai chiara: le persone strane ci stavano seguendo. La cosa più inquietante era che si muovevano solo quando noi non le guardavamo, ma appena posavamo lo sguardo su di loro tornavano immobili come statue.

Intanto il sole stava calando e le ombre che si allungavano contribuivano a rendere il tutto ancora più spettrale.

Mi sfiorai istintivamente il braccio intorpidito, che sembrava quasi freddo, come se il mio sangue non arrivasse a scaldarlo.

È da un po' che non compaiono le ombre di Mordred... pensai mentre l'ansia mi stringeva la gola. *Spero solo che non ci trovino proprio adesso. Non è proprio il momento di rimettersi a combattere con le ombre...*

Mentre ero persa in questi pensieri non mi accorsi che la strada curvava di colpo, incrociando una viuzza che passava di fianco a una delle ultime case prima di immergersi nella campagna.

Girando l'angolo andai quasi a sbattere contro qualcuno. Stavo per scusarmi, quando vidi che era la donna con il cappello di paglia e il foulard svolazzante che avevo già notato prima...

Alzai lo sguardo e mi si gelò il sangue nelle vene: quella persona non aveva la faccia.

Uno strambo, barcollante esercito!

Cacciai un urlo e d'istinto diedi uno spintone alla donna senza volto, che perse l'equilibrio e cadde all'indietro sulla strada in discesa. Il suo cappello a tesa larga volò via nel vento e la sua nuca colpì il marciapiede con un rumore sordo e raccapricciante.

La testa bianca e lucida, senza capelli né elementi riconoscibili del viso, si staccò e rotolò via.

Esitai un attimo, paralizzata dall'orrore.

Rob corse verso di me, mi prese per il braccio e mi trascinò via con sé giù per la discesa.

«Gli ho staccato la testa! Gli ho staccato la testa! Oh no, l'ho ammazzata!» ripetevo in preda al panico.

«Non penso che tu l'abbia ammazzata... tecnicamente

non penso sia nemmeno viva! Sembra più un... manichino?» disse lui, ansimando per la corsa.

Quando raggiungemmo i nostri amici, un po' più avanti lungo la strada, mi girai a guardarmi alle spalle. La signora che avevo buttato per terra si era rialzata. Si muoveva a scatti e camminando un po' a tentoni raggiunse la testa caduta, la raccolse e se la riavvitò sul collo.

Mentre tornava a rivolgere verso di noi il suo terrificante viso vuoto, dietro di lei, là dove la strada curvava oltre la salita, apparvero altri manichini. Cinque, dieci, forse quindici... tutti con lo stesso orrendo volto bianco. Il sole che dietro di loro stava calando faceva sì che le loro ombre si allungassero sull'asfalto come tentacoli protesi verso di noi.

«Muoviti Angy! Corriamo! Verso il portale!» gridò Hal.

«Ma Jaali ha detto che è assediato!» ansimai raggiungendolo.

«A questo penseremo dopo... ora dobbiamo fuggire da questi simpaticoni!»

Riprendemmo la fuga verso la collina, dove sapevamo che si trovava il portale. Purtroppo era completamente invisibile e senza Jaali a guidarci non sarebbe stato semplice trovarlo. Tyra avanzava in testa al gruppo con il cellulare davanti agli occhi, imprecando tra i denti. Ogni pochi passi eravamo costretti a rallentare per controllare il gps, che spariva di continuo per mancanza di connessione...

Intanto il sole era calato del tutto e la tonalità arancione del tramonto aveva lasciato il posto a una luce cupa e azzurrina, decisamente spettrale.

Fu in quell'atmosfera poco rassicurante che abbandonammo la strada per entrare nella foresta di pini che ricopriva il fianco della collina. Ci arrampicammo per qualche minuto per assicurarci di esserci lasciati la strada alle spalle.

«Secondo voi siamo al sicuro adesso?» chiese Tyra alzando gli occhi dal cellulare.

Io mi sporsi da dietro un albero per controllare la strada sotto di noi. Le persone strane stavano gironzolando apparentemente senza meta, come se non sapessero dove fossimo, o non volessero più seguirci. «Si sono fermati... penso di sì, dovremmo essere salvi.»

«Uhm... non direi!» esclamò Rob, indicando con un dito tremante un punto nella boscaglia sopra di noi.

Io lo seguii con lo sguardo, faticando a individuare quello che mi stava mostrando tra i tronchi dei pini e le ombre della sera. Poi mi si gelò il sangue nelle vene: un uomo in giacca e cravatta, senza volto, era fermo dietro un albero in cima alla salita. Dal suo viso senza lineamenti era impossibile capire se ci avesse visto.

Per alcuni istanti rimanemmo paralizzati senza sapere cosa fare. Presi una decisione: «Non penso ci abbia notati. Muoviamoci, ma molto lentamente, e restiamo nascosti. Una volta attraversato il portale saremo al sicuro»

Iniziammo la salita, tenendoci al riparo delle ombre degli alberi e dei cespugli. L'uomo misterioso, che tenevamo costantemente d'occhio, rimase fermo in quel punto, finché a un certo punto lo svolazzare di un pipistrello sopra le nostre teste non ci distrasse tutti. Quando tornammo a guardare verso il manichino, era scomparso.

«Se n'è andato... l'abbiamo scampata!» sospirò Rob.

«A meno che... non ci stia aggirando per prenderci alle spalle!» mugugnò Hal. «Decisamente preferivo quando sapevamo dov'era... Adesso potrebbe apparire dietro di noi all'improvviso!»

«Così non sei d'aiuto...» rabbrividì Rob.

«Zitti, ragazzi!» sibilò Tyra. «Guardate laggiù!»

Mi voltai nella direzione che lei indicava. In un primo momento vidi solo il fianco della collina che digradava tra gli alberi radi e un pezzo di mare all'orizzonte, su cui scintillavano le ultime luci del sole appena scomparso. Solo dopo qualche istante scorsi i tre uomini senza volto, in giacca e cravatta, che si aggiravano nella foresta sotto di noi, a tratti nascosti dalle ombre degli alberi.

Sentii il cuore martellarmi in gola. «Sono più di uno...» mormorai «...e ci stanno cercando!»

«Oh no, oh no, oh no!» ripeteva Rob. «Detesto i film horror! E questo sembra proprio un maledettissimo film horror!»

«Taci!» lo zittì ancora Tyra. «Ci farai scoprire.»

«Sapete chi mi ricordano?» sussurrò Hal. «I manichini che abbiamo visto nel magazzino di Morgana...»

«È vero, hai ragione, ma... com'è possibile che siano gli stessi? Erano nel mezzo del deserto della California!»

«Ma li stavano portando via in elicottero, ricordi? Non so se siano proprio quelli, ma la Lefay ha sedi ovunque, persino qui. Potrebbero averne altri, ovunque, pronti per ogni evenienza...»

«Se sono i manichini di Morgana, pensate che... siano qui per noi?» aggiunsi con un brivido.

«Non credo, Angy. Jaali ha detto che è già da qualche giorno che il portale è assediato dalle persone strane» ci ricordò Tyra. «Il loro obbiettivo primario dev'essere quello, non c'è dubbio. Forse vogliono solo controllare gli accessi e impedire i passaggi verso Eea.»

«Beh, per scoprirlo non possiamo fare altro che andare al portale. Sperando che non ci trovino prima...» sussurrai.

Salire su per la collina, cercando di evitare i manichini che apparivano all'improvviso tra gli alberi, fu un'impresa faticosissima e logorante. Quando finalmente, guidati dal gps, riuscimmo a raggiungere il punto segnato dalle coordinate che ci aveva dato Jaali, ci bloccammo di colpo.

Un gruppo di manichini, immobili, in giacca scura e cravatta, era disposto in circolo attorno a qualcosa di invisibile: il portale!

Hal ci fece cenno di fare silenzio, e ci fece intendere a gesti il suo piano: arrampicarci sui pini e aspettare al riparo il momento opportuno per passare attraverso il portale.

Io e Tyra fummo le prime a trovare l'albero giusto e ad arrampicarci. Da lassù osservavamo con il cuore in gola i movimenti degli altri, sospirando di sollievo ogni volta che uno di loro riusciva a raggiungere la cima del suo albero.

Per comunicare con i miei amici scrissi sulla chat di gruppo: «Che facciamo? Non possiamo stare quassù ad aspettare per sempre!»

Rob: Forse... possiamo creare un diversivo? ;-
Hal: Buona idea Rob, farai tu da esca?
Rob: Ehi! Magari c'è qualche altra soluzione che non metta a rischio vite umane? Specialmente la mia?

Tyra rispose con una sfilza di emoji che si tiravano una pacca sulla fronte.

Mentre eravamo appollaiati sugli alberi presi dai nostri battibecchi digitali, il portale si attivò. Al centro dell'area circondata dai manichini, l'aria prese a tremolare, come accade in una giornata molto calda quando si guarda in lontananza. Qualcuno stava per uscire...

Poi, dal nulla, come se stesse emergendo da un banco di nebbia, apparve Geira, furiosa.

Istintivamente afferrai il polso di Tyra, prima che le venisse in mente di fare qualcosa di stupido, ma lei era troppo paralizzata dalla sorpresa per muoversi o parlare.

Un istante dopo, alle spalle di Geira apparvero, come dietro a un velo sottile, tre dame che indossavano ampi cappelli piumati e gonne rigonfie per la crinolina. Erano le tre Serene, le più temibili incantatrici di Eea.

«Non sapete quello che state facendo!» gridava Geira. «Non potete negare l'ambrosia a Morgana, o morirà! Lei è l'unica che sta lottando contro Mordred ormai: Avalon è perduta e voi di Eea siete troppo vigliacchi per intervenire. Non c'è nessuno a parte lei che possa fare qualcosa. Rifiutandovi di aiutarla condannate il mondo alla rovina!»

«Il giudizio di Circe è imperscrutabile...» disse Serenella Argenti, la voce lontana, distorta dall'eco, come se provenisse da un'altra dimensione... «Ora, signorina, la preghiamo di andarsene, se non vuole provare gli effetti dei nostri incantesimi.»

Geira scosse la testa. «Se il mondo finirà sarà per colpa vostra!» e dando le spalle al portale, con un gesto secco alzò il braccio e schioccò le dita. I manichini presero vita e la seguirono muovendosi a scatti, come uno strano barcollante esercito, e sparirono tra gli alberi.

Solo allora le tre Serene, che erano rimaste ferme al di là del portale come dipinti sbiaditi, girarono la testa verso di noi.

«Forse è il caso di scendere da lì, che ne dite?»

La Dea Luminosa

Varcammo il portale accompagnati dalla consueta sensazione di freddo doloroso. Non era la prima volta che la provavo, ma mi coglieva sempre alla sprovvista. Tremando e stringendo i denti, riemersi a Eea.

Mi guardai attorno e notai subito che l'atmosfera nell'isola era molto diversa da come la ricordavo. Invece di essere luminosa, fresca e soleggiata, come ci si aspetta che sia la più perfetta idea di un'isola del mediterraneo, ora il cielo era bianco e ovattato, coperto da un sottile strato di nuvole che intrappolava il calore del sole e rendeva l'atmosfera afosa e carica di elettricità.

Immersi in quella luce grigiastra, le ombre erano quasi inesistenti e tutto appariva smorto, nebuloso. E mentre la volta precedente l'isola ci era apparsa come un alveare multicolore, brulicante di vita e del suono di mille lingue differenti, ora l'umore generale era decisamente cupo, e tutti gironzolavano stanchi e immusoniti come zombi.

«Ma che succede? Perché sono tutti di cattivo umore, qui? Cos'è? Un'epidemia?» chiese Rob, allacciandosi le mani dietro la nuca.

Sereine Lafontaine schioccò la lingua, come se disapprovasse le sue parole, ma non commentò. Aggiunse solo, in tono distaccato: «Prego, seguiteci all'anfiteatro, giovani Leggendari. Là tutto vi sarà spiegato. La divina Circe ha convocato i suoi incantatori, per dare nuove disposizioni in seguito al suo recente incontro con l'emissario di Morgaine la Fée».

Ci misi un secondo a capire che con "emissario di Morgaine" intendeva Geira, e subito mi rabbuiai. Ancora non riuscivo a capacitarmi che fosse passata al nemico.

Assieme a noi anche gli altri abitanti dell'isola si diressero verso l'agorà, nella quale si trovava uno splendido anfiteatro di marmo candido, di un bianco quasi accecante. Le macchie verdi dei rampicanti, che si arrampicavano lungo le alte colonne dei portici, erano l'unica nota di colore.

La folla di incantatori si sparse sugli spalti con un

basso brusio di voci indistinte. Mentre aspettavo che Circe comparisse sull'alto proscenio di marmo, mi girai verso i miei amici, per scambiare due parole. In realtà, non è che volessi solo fare conversazione, o passare il tempo: ero molto preoccupata dell'effetto che poteva aver fatto su tutti loro rivedere Geira così, con la divisa nera dei seguaci di Morgana...

«Come va ragazzi?» chiesi guardandoli negli occhi uno a uno.

Hal scosse la testa. «Sono esausto ma contento che siamo arrivati fino a qui. Ci pensate? Ce l'abbiamo fatta, siamo nel mondo magico! Dovremmo festeggiare questo piccolo successo...»

Rob sbuffò. «Sinceramente non ho voglia di festeggiare! Mi ha messo di cattivo umore vedere Geira guidare quei manichini come una vera schiavetta di Morgana. Non posso crederci che sia diventata cattiva...»

«Non so, forse non tutto è come appare...» mormorò Tyra, mordendosi un'unghia ormai ridotta al nulla. «Mentre litigava con le Serene, Geira ha detto una cosa che mi ha fatto pensare: "Avalon è perduta, Morgaine è l'unica che può salvare il mondo".»

«E quindi? Cosa cambia?» borbottò Rob, polemico.

«Conosco molto bene Geira. È molto determinata, ed è capace di fare scelte difficili se ritiene che sia per il meglio. Non so, magari è veramente convinta che stare dalla parte di Morgaine sia la cosa migliore per salvare il mondo. Magari non è "cattiva" come dici tu...»

Io annuii, ricordandomi per un istante della donna bionda alla guida dell'auto nera che ci aveva salvato dall'attacco delle ombre, qualche giorno prima. Ero sempre più convinta che fosse Geira. «Per come la vedo io, a questo punto ci sono due ragioni per cui Geira potrebbe aver deciso di lavorare per Morgana: o è stata manipolata dalla magia, come credevo fino a prima di sentire le sue parole giù al varco, oppure davvero pensava che non ci fosse altra scelta... e in questo momento propendo per questa ipotesi, come Tyra.»

Rob scosse la testa, per niente convinto. «Ma scusate, un'altra scelta c'è, eccome! Siamo noi! Perché non ci ha più contattati!? Tyra l'ha chiamata ininterrottamente per settimane, prima che staccasse completamente il cellulare. Se fosse veramente così ben intenzionata come dite, avrebbe fatto lo sforzo di rispondere, non credete?»

«In ogni caso Geira è fuori dall'equazione. Finché lavora per Morgaine non possiamo certo contarla fra i nostri alleati e forse nemmeno fra i nostri amici. Fine della discussione...» concluse Hal, amaro.

Naturalmente aveva ragione. Cadde un silenzio così pesante che sembrava quasi un rumore, e per un lungo istante restammo chiusi in noi stessi, ciascuno immerso nei suoi pensieri cupi e macchinosi.

Dopo qualche minuto, il brusio di voci che riempiva l'anfiteatro si spense e sul proscenio apparve Circe.

Era coperta da un sottile velo dorato e impalpabile, che le copriva il volto e le cadeva fino ai piedi. Imponente e maestosa, sovrastava in altezza tutti i presenti, come se non appartenesse alla nostra stessa specie ma fosse qualcosa di diverso, più antico, arcano e potente.

Un gruppo di incantatori che indossavano dei chitoni immacolati le si avvicinarono, reggendo una scatola di legno laccato da cui Circe estrasse una maschera di bronzo, che rappresentava Medusa, e se la pose sul viso, mentre gli incantatori intonavano:

«*Ecco la dea luminosa!*
Ecco colei che sa mutare la forma delle cose.
Ecco la dea delle mille pozioni,
Amica degli amici,
Temibile per chi osa contrastarla!».

Stupita da questo cerimoniale mi chinai verso un incantatore seduto davanti a noi e chiesi: «Perché Circe è velata? E perché indossa quella maschera?»

Il tizio mi squadrò sbarrando gli occhi come se fossi una perfetta idiota. «La *Divina* Circe...» mi fece notare, rimarcando la parola 'divina' «...è troppo potente perché i nostri occhi mortali, possano fissarla e noi sopravvivere. E la maschera permette a tutti di comprendere la lingua divina con cui si esprime...»

«Eh? Non capisco! Ma non parlava greco antico?» sussurrai io, dando una gomitata a Tyra «Cioè, tu la capivi benissimo, no? Pensavo che tutti gli incantatori ci riuscissero... Da noi si è fatta vedere, e nessuno di noi è morto, mi pare...» conclusi, con una risatina nervosa.

In ogni caso non dissi nulla all'incantatore, e mi limitai a ringraziarlo con un cenno del capo, anche perché in quel momento Circe iniziò a parlare.

La sua voce rimbombava potente per tutto l'anfiteatro, e notai che raggiungeva perfettamente anche coloro che come noi occupavamo gli spalti più lontani.

«Chiaro vi giunga l'avvertimento
della luminosa Circe, o figli!
Nessuno osi oltrepassare La Perenne Porta,

che creature senza volto crudelmente difendono.
E voi, che il mondo degli uomini abitate,
altra scelta non avrete: restare con me a Eea,
per l'eternità dei giorni, o farvi catturare.
Questa è la verità, dura e fredda come ghiaccio.
Ma la potente Morgana, come serpe infida e crudele,
in nessun modo oserà colpire voi, mia amata stirpe.
Ciò che lei brama, io nel pugno stringo:
l'ambrosia divina, il cibo che gli dei sfama.»

Poi tacque di colpo e il gruppo di incantatori vestiti di banco intonò:

«*Salutate la dea luminosa!*
Salutate colei che sa mutare la forma delle cose.
Salutate la dea dalle mille pozioni,
Amica degli amici,
Temibile per chi osa contrastarla!».

A quelle parole, tutti cominciarono a lasciare l'anfiteatro, commentando sottovoce le sue parole.

Solo noi rimanemmo interdetti perché non sapevamo cosa fare né dove andare.

«Ehi, voi ci avete capito qualcosa?» mormorai rivolta ai miei amici. «Se quelle erano istruzioni, non erano affatto chiare... mah, magari è un linguaggio per iniziati!»

Ma non feci in tempo ad avere risposta dai miei amici perché le tre Serene si avvicinarono.

«Ma è tutto molto chiaro, mia cara!» cinguettò Sereine» la divina Circe ha appena detto agli incantatori che il Portale è circondato dai manichini di Morgana, cosa che peraltro voi già sapete. E che gli incantatori che provengono dal mondo reale hanno solo una scelta: o rimanere qui per l'eternità, o farsi catturare da Morgana. Opzione che la divina Circe consiglia, perché non hanno niente da temere. Circe ha l'ambrosia, di cui Morgana ha un disperato bisogno... perciò non oserebbe fare nulla che potrebbe contrariarla. Ma ora andiamo, Circe ha chiesto di condurvi da lei.»

Con reverenza, le seguimmo fino al palco, ai cui piedi ci fermammo, aspettando che Circe ci parlasse. Tyra di fianco a me era molto nervosa perché percepiva il suo immenso potere magico.

Circe si tolse il velo e la maschera, rivelando un volto senza tempo, bellissimo e terribile. Con un sussurro che solo le nostre orecchie furono in grado di cogliere, disse: «Con voi questi trucchi non sono necessari. Sono io a decidere chi è degno di vedermi e sentirmi, quando e in che forma. Io so chi ha bisogno di essere tenuto sotto il giogo della paura e chi no... Sono lieta che abbiate trovato la strada fino a Eea, ormai temo che siate rimasti gli unici in grado di fermare Mordred, che grazie alla Pietra Nera assorbirebbe incontrastato tutta la magia esistente, compresa la mia. Confidavo in Morgaine per ottenere questo obiettivo, ma si è dimostrata sconsiderata e incapace. Ha fallito nel fermare Mordred nonostante la Pietra Nera sia stata a un palmo dalle sue mani e i suoi uomini si siano trovati a un passo dall'accampamento del nemico. Per questo l'ho privata del nettare e dell'ambrosia, per rimetterla in riga...»

Fece una pausa scrutandoci a uno a uno con i suoi occhi dorati, con uno sguardo terribile, che frugava nell'anima e che mi fece rimpiangere la maschera spaventosa che si era appena tolta.

«Voi giovani Leggendari, vi siete dimostrati capaci e volenterosi nonostante siate privi di mezzi, e ho fiducia in voi più che in lei per risolvere questa situazione. Temo che siate l'unica speranza rimasta, gli unici in grado di passare tra un mondo e l'altro e affrontare questa minaccia con coraggio.»

«Grazie per la fiducia, ma... come dovremmo fare?» chiesi con un filo di voce.

«Per prima cosa dovrete raggiungere Avalon, che è

assediata, e non posso mandare le mie incantatrici ad affrontare quel pericolo...»

«Però non ha problemi a mandare noi, eh?» borbottò Rob.

Io gli pestai un piede e continuai a voce più alta di lui: «Quale pericolo? Che cosa intende?»

Lei non rispose, ma con un gesto imperioso della mano che fece tintinnare i bracciali dorati attorno al suo polso scuro, ci ordinò di seguirla.

Dietro di lei, lasciammo l'agorà e ci addentrammo nella macchia mediterranea, lungo un sentierino che ci portò fino in cima a un'alta scogliera. Da lì, Circe indicò un punto all'orizzonte, dove si raggruppavano nuvole nere e rabbiose, altissime, come quelle che precedono un uragano.

«Una tempesta?» chiesi io.

«Non una semplice tempesta.» rispose Circe, dura.

Si interruppe per un secondo, e continuò: «Si avvicina sempre di più a Eea e temo che presto la inghiottirà. Con i miei incantatori stiamo preparando delle misure per proteggerci. Ho bisogno che tutti gli incantatori e le incantatrici delle epoche passate restino qui a tenere aperto il Portale Perenne e a preparare le difese. Perciò toccherà a voi immergervi nella Tempesta d'Ombra, opera di Mordred.»

Io rabbrividii. Tempesta d'Ombra? Non suonava per niente rassicurante...

«Ora prestate attenzione, Leggendari. Aello, Ocipete e Celeno vi condurranno fino ad Avalon. Mordred va fermato, e voi siete al momento l'unica speranza di entrambi i mondi.»

Sentii Rob tirare un sospiro di sollievo e lo guardai interrogativa. «A quanto pare ce ne torniamo in crociera...» mormorò sognante.

«Ma di cosa stai parlando?» gli domandai a denti stretti per non attirare l'attenzione di Circe.

«Delle triremi che ci porteranno da Merlino!» rispose in tono ovvio. «L'hai sentita, no? Aello, Oci-coso e Cel-l'altro. Saranno i nomi delle triremi, come la prima volta, tipo la Nina, la Pinta e la Santa Maria.»

Lo fissai incredula. «Non conosci la mitologia? Aello, Ocipete e Celeno non sono triremi, Rob. Sono arpie!»

«Ah...» Il sorriso rilassato gli svanì immediatamente dal volto.

In quel momento Circe agitò un braccio in aria come a imitazione di un vortice e, l'istante dopo, tre orrende e ancestrali creature apparvero alle sue spalle, proprio sul bordo della scogliera, e rimasero ferme in attesa di ordini.

Hal si irrigidì, Rob cacciò un urlo, Tyra arretrò di un passo e io mi tappai forte la bocca per non gridare.

Le arpie avevano il corpo di un grande rapace, con zampe e petto piumati, e artigli affilati e possenti. Ma le loro teste erano umane, teste di donne dallo sguardo fosco e dall'espressione feroce e animalesca, tutte e tre con una folta chioma, lucida e fluente.

«Noi dovremmo salire su quelle ehm... cose?!» disse Rob, ma per fortuna nessuno tranne me, che gli ero praticamente attaccata, riuscì a sentirlo.

Circe alzò una mano e le arpie risposero con terribili versi gracchianti, quindi dispiegarono le lunghe ali, producendo un forte spostamento d'aria. In quel momento fummo avvolti da un odore disgustoso di decomposizione, che ci prese alla gola e ci rimase addosso, come una nebbia putrida.

«Le Arpie sono creature della tempesta, portatrici di distruzione. L'odore che sentite è quello della morte. Non siatene disgustati, perché questo è un dono che vi fanno. Vi proteggerà come un manto quando passerete attraverso la Tempesta d'Ombra. L'odore di morte confonderà le ombre, e potrete passare indisturbati.

Poi Circe parlò loro in greco, riservando a ognuna una piccola riverenza del capo. Allora Celeno, la più scura delle arpie, si abbassò per permetterci di salire sulla sua groppa, subito imitata dalle sorelle.

«Dobbiamo farlo» ci incoraggiò Hal, pallidissimo, facendo qualche passo verso le arpie.

Stavamo per salire anche noi sul dorso di quelle mitiche e terrificanti creature, trattenendo a stento i conati, quando Circe fece cenno a Tyra di avvicinarsi.

Le parlò in greco antico per alcuni lunghi minuti, questa volta senza che io e i miei amici capissimo una parola. Tyra annuiva, ma vedevo il suo volto rabbuiarsi.

Poi Circe si staccò dalla cintura una boccetta di cristallo ricolma di liquido ambrato… La porse a Tyra che la guardò per alcuni secondi prima di annuire rapidamente e ritornare verso di noi, stingendo la boccetta al petto.

Circe si voltò senza una parola e sembrò scomparire tra la boscaglia. Attesi qualche secondo per assicurarmi che se ne fosse andata poi mi girai verso Tyra: «Che ti ha detto?»

«Mi ha dato dell'ambrosia! Tienila tu in caso ci serva qualcosa con cui ricattare Morgana, fare leva su di lei…» disse, passandomi l'ampolla. E aggiunse: «E poi mi ha detto qualcosa di strano...»

«Dai, avanti, sputa il rospo!»

«Mi ha detto: *"Alcune cose non possono essere evitate, e solo svolgendo e riavvolgendo dalle origini il filo del tempo è possibile mutare l'intreccio della storia"*»

«Eh? Ma che significa? Ne ho abbastanza di questi enigmi!»

Tyra scrollò le spalle. «Posso solo cercare di indovinare. Forse voleva dirmi che non possiamo fare altro che accettare la situazione drammatica in cui ci troviamo?»

«Va bene tutto, ma secondo me dobbiamo sbrigarci ad andare ad Avalon. Lo so che quelle nuvole nere non sono per niente invitanti ma non abbiamo altra scelta...»

Così, dopo qualche minuto speso a cercare di capire come montare in sella, sotto gli sguardi di disapprovazione delle arpie, riuscimmo a salire in groppa.

Rob e io eravamo su Ocipete, la più veloce, Tyra su Aello, temibile come la bufera, e Hal su Celeno, l'oscura notte. Con un tremendo grido che non aveva nulla di umano, le arpie si levarono in volo gettandosi dalla scogliera.

Oltre la tempesta d'ombra

Non riuscii a trattenermi dallo strillare quando Ocipete si gettò in picchiata giù dalla scogliera, mentre il vento e gli spruzzi di salsedine mi sferzavano il viso.

Dopo un tuffo di oltre trenta metri, appena un istante prima di toccare le onde del mare, l'arpia spiegò le ali, sollevando con lo spostamento d'aria una nuvola di goccioline salate. Si rialzò in volo con pochi battiti possenti e proseguì, rasentando la superficie delle onde, in direzione del buio infernale che si raccoglieva all'orizzonte.

Presto capii il motivo di quelle acrobazie.

A tratti Ocipete tuffava gli artigli nell'oceano, afferrava un grosso pesce, lo lanciava per aria e lo acchiappava al volo tra i suoi denti umani. Con mio sommo orrore, la vidi gettare dietro la testa e ingoiarne uno intero, senza nemmeno rallentare il suo volo.

Trattenni l'ennesimo conato di vomito e fissai lo sguardo sul cielo sopra la mia testa, cercando senza successo di respirare un refolo di aria fresca.

Sarebbe stato un viaggio difficile...

Oltre alla tremenda puzza di carogna che ci avvolgeva, non era per nulla d'aiuto il fatto che le nuvole davanti ai nostri occhi si facessero sempre più nere e minacciose. Quel buio non aveva nulla di naturale.

Dopo alcune ore di viaggio, allietate solo dall'incessante chiacchiericcio di Rob dietro di me, arrivammo al limitare della coltre nera. Da quel muro oscuro, si staccavano lembi di ombra che si protendevano verso di noi come tentacoli, come se volessero afferrarci.

Improvvisamente, mi sembrò molto stupido entrare lì dentro. Ma prima che potessi cambiare idea o fare qualsiasi cosa, l'oscurità ci inghiottì.

La sensazione fu come quella di svegliarsi nel cuore della notte dopo un incubo e vedere solo buio, nonostante gli occhi spalancati. Persino l'aria, era densa e umida: pareva di respirare melma scura.

Sentii le braccia di Rob stringersi attorno alla mia vita come una morsa. «Angy, torniamo indietro...» mormorò.

Ma dov'era il dietro? Non vedevo niente, nemmeno le mie stesse mani, che agitavo davanti al viso.

Mi voltai, cercando di scorgere un qualsiasi segno della presenza dei miei amici, ma ero cieca, come se avessi una benda scura, gelida e umidiccia sugli occhi.

Poi sentii Tyra sgolarsi. Ci misi un bel po' a capirla. «La luce!» continuava a gridare nel vento turbinante che producevano le ali delle arpie. «Laggiù! C'è una luce! Presto, da quella parte!»

Mi guardai attorno, strizzando le palpebre. Poi la vidi: era appena un debole lumicino, ma bucava il buio come la punta scintillante di uno spillo. Mi afferrai al collo di Ocipete, e sperando che mi capisse, gridai: «Di là!»

Con un gorgoglio gutturale, si girò, nel buio assoluto. Poi emise un richiamo rauco e prolungato a cui Aello e Celeno risposero in coro. Dopo un po', mi accorsi che volavano al nostro fianco. Anche se non potevo vederle, sentivo il frusciare delle loro ali e le grida stridule accanto a noi.

Stavamo volando verso la luce, seguendola come un faro. In realtà temevo che quello che ci aspettava potesse essere un nuovo, inaspettato orrore, ma qualsiasi cosa era meglio di quel buio assoluto, che a ogni secondo minacciava di farmi perdere il senno.

Man mano che ci avvicinavamo, la luce che da lontano mi era parsa un puntino non più grande della capocchia di uno spillo si fece sempre più grande, senza però riuscire a illuminare la densa oscurità in cui eravamo immersi.

Per distrarmi da quel buio mortale cercavo di concentrarmi su quella luce lontana davanti a me e sulla presenza calda e familiare di Rob dietro di me.

«Tutto a posto?» gridai, sperando che potesse sentirmi.

«Sì!» mi gridò Rob nell'orecchio. «E tu?!»

«Una favola! Dovremmo viaggiare più spesso sulle arpie!»

«Stai scherzando, Pendrake?! Non ci penso proprio!»

Scoppiai a ridere, ma il fischio del vento si portò via la mia risata.

Quando la cupola di luce si fece abbastanza grande, vidi che al suo interno c'era qualcosa: una sagoma, scura, in controluce... Poco dopo capii che nella bolla, come in quei souvenir di cristallo che se li scuoti scende la neve, era racchiusa un'alta scogliera, in cima alla quale sorgeva un castello.

Sentii il cuore balzarmi in gola. Era Avalon!

Più ci avvicinavamo, più ne potevo distinguere i dettagli: la torre di Merlino, le merlature delle mura, il cortile interno, i filari di melo... E infine, all'improvviso, mi resi conto che qualcosa proteggeva il castello dall'oscurità che avvolgeva l'Oceano Magico: una specie di cupola invisibile che lo racchiudeva, tagliando fuori le ombre e conservando al proprio interno la normale luce del giorno. Nel contrasto con il buio assoluto attorno a noi, la cupola sembrava splendere come mille soli.

«Ci siamo!» esclamai.

Rob si strinse ancora più forte alla mia vita. «Spero che non ci aspettino altre sorprese...»

«Lo spero anch'io...» sussurrai.

Girai la testa, in cerca dei miei amici, ma la luce era come contenuta entro i confini ben definiti della barriera protettiva. Il buio attorno a noi era assoluto: riuscivo a vedere solo l'isola.

Era una sensazione stranissima e irreale, da incubo.

L'unica cosa da fare era continuare a scendere verso Avalon. Quando fummo sufficientemente vicini, vidi che nel centro dell'isola, nell'immenso prato verde che si stendeva di fronte al castello, c'era una figura solitaria, in piedi, con le braccia tese verso il cielo. Era Viviana.

Era lei a tenere a bada la Tempesta di Ombre.

Con il cuore in gola, ci avvicinammo alla cupola di luce, tanto da poterla quasi toccare.

Tesi il braccio, piena di speranza.

Era questione di un attimo, poi ero convinta che la luce mi avrebbe avvolto le dita, e la bolla protettiva si sarebbe aperta per accogliermi, liberandomi da quell'oscurità opprimente.

Ma non fu così. L'istante dopo, Ocipete si schiantò contro la barriera invisibile con uno stridio raccapricciante e indignato. Precipitammo. Dopo meno di un secondo, il terreno ci venne incontro e rotolammo rovinosamente sul prato di fronte al castello. O almeno, immaginavo che fosse il prato, perché attorno a noi era tutto buio.

Mi alzai in piedi a tentoni, aggrappandomi alla barriera invisibile che mi separava dalla luce e dalla salvezza. Eppure, non riuscivo neanche a vedere le mie mani che la toccavano...

Di fianco a me, Rob si alzò con un grugnito, cercandomi a tentoni. «Angy sei viva? Dove sei?»

«Sono viva, sono qui... ahia, quello era il mio naso!» protestai, quando mi arrivò una manata sulla faccia, e Rob lanciò un lungo sospiro di sollievo.

Vicino a me, grida e schiamazzi mi avvertirono che anche gli altri erano atterrati ed erano vivi.

«Hal? Tyra? Tutto bene?»

« Più o meno... ma perché non riusciamo ad entrare, accidenti? Dove siete?» disse Hal da un punto imprecisato vicino a me.

Rob gli rispose: «Siamo qui! Mi senti, Hal? Ti sto tendendo la mano, afferrala... Ehi, no quello è il mio didietro! Non siamo *così* amici, manteniamo un po' di spazio interpersonale!»

Sentii una mano, piccola e inanellata, tastarmi la schiena e posarsi sulla mia spalla.

«Conosco questo incantesimo» disse Tyra dietro di me. «È una barriera impenetrabile che non può essere attraversata da niente o nessuno... a meno che chi l'ha eretta non gli dia la chiave»

«Oh no! E allora come facciamo? Viviana è laggiù, lontana, non ci vede...»

Tyra sospirò «Ce l'ho già, la chiave. Me l'ha affidata durante le sue lezioni.»

«Perfetto allora! Cosa aspetti? Entriamo, no?»

«Non è così semplice, la chiave è un incantesimo. Solo che... solo che io...» sentii la mano di Tyra stringersi brevemente attorno alla mia spalla e poi allentare la presa e lasciarsi cadere. «Ragazzi mi dispiace... non ce la posso fare, non ho più i poteri. Non sono nemmeno più riuscita a contattare Viviana. Eravamo così vicini e adesso per colpa mia abbiamo fallito... mi spiace!»

Sentii che Tyra si sedeva pesantemente in un punto imprecisato dietro di me. Mi girai verso di lei, anche se non la potevo vedere, cercando a tentoni finché non riuscii a trovarle le spalle, e allora mi sedetti di fronte a lei, mantenendo il contatto.

«Tyra, so che è stato un periodo difficile, ma voglio che tu capisca una cosa: quello che è successo non è colpa tua, né quello che successo a Geira né tutto il resto... non è colpa tua, capito?»

«Forse non tutto è colpa mia, ma non puoi negare che quello che ho fatto...»

«No, Tyra, non hai fatto niente di male, chiaro? Non è colpa tua. Tu stai facendo del tuo meglio come tutti noi... Può succedere di fallire, siamo umani! L'importante è rialzarsi e non lasciarsi sconfiggere quando le cose vanno male, ok? Adesso devi reagire e tentare questa cosa... So che ce la puoi fare. Dentro di te hai la forza per riuscirci, l'hai dimostrato più e più volte... magari adesso non ti sembra che sia così, ma quella forza è ancora dentro di te, ne sono convinta. Ok? Mi credi?»

Dopo un lunghissimo istante Tyra disse: «Ti credo.»

Poi mi resi conto che si rialzava nel buio.

Per qualche secondo non vidi niente... poi sentii un mormorio sommesso. Tyra stava recitando un incantesimo. Improvvisamente, dalla barriera partì una lama di luce che sembrò penetrare l'oscurità come una saetta.

E allora, finalmente, vidi i contorni delle mie mani, i miei amici seduti sul prato e Tyra in piedi davanti alla barriera che vi infilava dentro le mani come se la stesse strappando per aprire un passaggio.

La sua voce, che prima era un mormorio, per lo sforzo diventò un urlo, che rimbombò tutto attorno a noi, mentre la luce che usciva dallo strappo ci avvolgeva...

«Ora! Passate!» gridò Tyra e si tuffò all'interno.

Una frazione di secondo prima che lo strappo svanisse Hal, Rob e io ci lanciammo dietro di lei, rotolando nell'erba. La barriera si richiuse immediatamente, ma con orrore mi accorsi che un tentacolo di oscurità ci aveva seguiti all'interno. Nel chiudersi, la barriera l'aveva mozzato a metà, ma comunque era lì e stava prendendo forma, la forma di un'ombra di Mordred!

Mi preparai a evocare Excalibur, ma prima che potessi trovare la forza di farlo, un giavellotto passò fischiando e la colpì in pieno petto.

L'ombra si dissolse in un filo di fumo, come un sospiro.

Girandomi di scatto, vidi Galahad, il cavaliere della tavola rotonda, il nostro insegnante, con il braccio ancora sollevato per il colpo che aveva scagliato.

Sorrise. «Guardiani... bentornati!»

Una lezione
di alta magia

«È un sollievo rivedervi sani e salvi, Guardiani della Soglia» disse ancora Galahad omaggiandoci con un breve inchino non appena ci fummo rialzati.

Mentre mi spolveravo via la terra dai vestiti non riuscivo a distogliere lo sguardo da Viviana, in piedi immobile nel prato, con le braccia alzate. Concentrandomi, potevo vedere che attorno alle sue dita l'aria scintillava e si increspava come se fosse calda…

«Sir Galahad, che succede? Da settimane cerchiamo di entrare ad Avalon o di metterci in contatto, e nessuno risponde! È forse perché il castello è assediato dalle ombre?» chiese Hal, con un tono duro che non gli conoscevo.

Galahad sospirò turbato. «È così, purtroppo. E presto ogni isola magica ne sarà avvolta. Per proteggerci, dama Nyneve ha creato questa potente barriera di luce, ma sono giorni, ormai, che va avanti così, senza interrompersi nemmeno un istante, nemmeno di notte. Io e ser Parsifal ci diamo i turni a farle la guardia, per proteggerla in caso si formi una breccia.»

«Sul serio?» domandò Rob. «Cioè...» ci guardò sconcertato. «Non mangia?»

«Viviana non è un'idrovora come te, Rob!» lo rimbrottai.

«Ok ma... non dorme? Non può neanche andare a fare pipì?»

Mi sentii avvampare. «Santo cielo, qualcuno gli tappi la bocca.»

«Ho chiesto, nient'altro!» si difese Rob scrollando le spalle.

Galahad tossicchiò, in evidente imbarazzo. «Messer Robert, siete giovane e curioso e... non c'è nulla di male a chiedere per conoscenza.»

«Vedi? Sono giovane, voglio conoscere!» puntualizzò Rob incrociando le braccia, piccato.

«Viviana in effetti non ha gli stessi bisogni di un essere

umano» proseguì Galahad. «Non ha necessità di dormire o mangiare, perché nell'attimo in cui separò i due mondi consumò il proprio corpo, divenendo un'entità fatta di spirito e magia.»

Ci scambiammo tutti delle occhiate perplesse. Era una rivelazione, questa, che non avevamo mai neanche immaginato.

«Ah, allora è per questo che ogni tanto scompare all'improvviso e ricompare da tutt'altra parte!» constatò Rob.

Galahad accennò un sorriso.

«Sì. Diciamo così... è comunque legata al mondo magico e in particolare all'isola di Avalon da cui lanciò l'incantesimo di separazione.»

Tacque un istante e il volto del cavaliere tornò serio.

«In realtà siamo davvero in ansia per dama Nyneve. L'Accademia, i ragazzi e tutti noi siamo protetti finché lei manterrà attiva la barriera, ma questo richiede tutta la sua concentrazione, non può permettersi di riposare o di fare qualsiasi altra cosa... ecco perché i passaggi per Avalon sono chiusi; non possiamo ricevere rifornimenti dalle altre isole, nessuno può entrare, nessuno può uscire. Siamo in trappola e se non sconfiggeremo le ombre...

i ragazzi che si trovavano ad Avalon nel momento in cui è stata attivata la barriera continueranno a vivere qui. In eterno.»

Come te e Parsifal, pensai con orrore.

«Non è solo questo, vero?» gli chiese Hal in tono grave.

«No, infatti» confermò Galahad. «L'incantesimo sta assorbendo tutte le forze di Nyneve. Di questo passo anche le sue ultime vestigia si dissolveranno e verranno inglobate dal mondo magico di cui fa parte.»

«Ma Merlino non può darle il cambio?»

«Purtroppo no, per un semplice motivo... nessuno eccetto Viviana, che è stata tanto potente da separare il mondo magico da quello reale, riuscirebbe a reggere la portata di un tale incantesimo per più di qualche minuto prima di svenire. E se Merlino anche per un secondo perdesse i sensi, Avalon sarebbe perduta, perché ormai il castello è talmente intessuto dei suoi incantesimi che senza di lui crollerebbe. Insomma, non c'è soluzione...»

Fece una pausa allargando le braccia, sconsolato, poi riprese: «L'incantesimo di per sé non sarebbe complicato, il difficile è resistere all'assalto delle ombre di Mordred che sono tanto forti da avvolgere l'intero Oceano Magico... in ogni caso Merlino non può sostituirla e non c'è nessun altro che sappia usare la magia ad Avalon...»

Tyra, che fino a quel momento aveva ascoltato in silenzio, si alzò in piedi di scatto.

«Forse Merlino non può darle il cambio, ma io sì.»

La guardai, interrogativa. Ero contenta che avesse ritrovato la fiducia in sé stessa, ma questo sarebbe stato troppo anche per lei.

Galahad allungò le mani e scosse la testa, come a dire che non ci pensava nemmeno. «Madamigella Hope, il vostro slancio è lodevole. So che siete affezionata a Nyneve, ma l'incantesimo di cui stiamo parlando è incredibilmente potente, potrebbe mettere in serio pericolo la sua stessa vita.»

«Lasciatemi provare, almeno!» esclamò Tyra «Per lo meno, potrei concederle qualche istante di respiro.»

Galahad la fissò pensoso per diversi secondi. Finché disse in un lungo sospiro: «Va bene. Si può almeno tentare.»

Accompagnati da Galahad, ci incamminammo attraverso il prato in direzione di Viviana.

Non mi sentivo tranquilla. Cosa sarebbe successo se Tyra non fosse riuscita a reggere l'incantesimo? La barriera sarebbe crollata? O peggio, lei sarebbe morta?

La preoccupazione mi faceva torcere lo stomaco. Ma non avevamo altra scelta.

Quando Tyra fu abbastanza vicina, vidi Viviana muovere appena lo sguardo nella sua direzione. Non abbassò le braccia né diede segno di stupore quando notò la sua allieva, fece soltanto un cenno leggero con la testa e Tyra le si avvicinò ancora di più. Solo allora notai che le labbra di Viviana non smettevano un istante di muoversi, anche se dalla distanza in cui mi trovavo era impossibile capire cosa stesse dicendo.

«Secondo te, che cosa succederà?» mi chiese Rob.

«Non lo so...» ammisi con un filo di voce. «Ma temo che Viviana sia troppo assorta dall'incantesimo per impartire una lezione di alta magia a Tyra.»

Hal però ci suggerì di osservare con maggiore attenzione. «Fossi in voi, non sottovaluterei una maga millenaria e potente come lei.»

«Appunto!» rifletté Rob, perplesso. Allungò le braccia per indicare entrambe. «Quello che sta facendo Viviana è pazzesco, semplicemente incredibile. Ma Tyra è solo un'allieva, come noi... come farà?»

«Non so, Rob, forse hai ragione. Ma io la conosco abbastanza bene per sapere che non si ferma di fronte a nessun ostacolo, per quanto sembri insormontabile. Anzi, cerca sempre di affrontarlo al meglio. Nell'ultimo periodo forse Tyra ha perso la fiducia in sé stessa, ma io non ho mai smesso di credere in lei. Sono sicura che ce la farà.»

Intanto, Tyra si era avvicinata ancora di più a Viviana, tanto che per un attimo pensai che volesse abbracciarla. Invece tenne le braccia rigide lungo i fianchi e i pugni chiusi per la tensione, e si limitò a girare la testa verso di lei.

Viviana si accostò all'orecchio di Tyra e le sussurrò qualcosa.

«Le sta insegnando la formula dell'incantesimo!» esultai emozionata.

«A volte, i problemi più complicati richiedono le soluzioni più semplici» commentò Galahad. «Forse proprio in questo risiede la saggezza di uno spirito antico come quello di dama Nyneve...»

Io intanto tenevo gli occhi fissi su Tyra e mi accorsi subito che la magia doveva essere molto impegnativa perché il suo viso si faceva sempre più teso. La sua espressione intensa mi diceva che non stava solo ascoltando e basta, come per imparare una poesia a memoria; in realtà stava permettendo alla formula magica di divenire parte di lei, del suo potere. Sembrava quasi che dovesse interiorizzarla con tutta se stessa, anche con il corpo.

In quel momento mi resi conto che non sapevo nulla delle lezioni segretissime che Viviana impartiva alla mia amica, forse proprio perché lei non poteva scendere nei particolari come invece facevamo sempre (fin troppo!) Rob e io, sommergendola di dettagli sui nostri successi e i nostri fallimenti. Roteare spade, evitare lance e centrare bersagli era qualcosa di molto fisico che ci rendeva agili, risoluti e forti: era facilissimo sottovalutare tutto il resto. Ma adesso, vedendo gli sforzi di Tyra, compresi perfettamente quanto fosse duro l'addestramento per diventare un'incantatrice.

A un tratto, Tyra sollevò le braccia. Lo fece lentamente, con solennità, a occhi chiusi e schiena dritta.

«Ci siamo...» mormorai, forse non troppo a bassa voce, dal momento che Rob mi prese la mano a tradimento. Non mi ero nemmeno accorta che stavo stringendo i pugni lungo i fianchi. Mi voltai di scatto, sorpresa, e vidi che anche lui tratteneva il fiato. Anche se avevamo fiducia in lei, entrambi eravamo terrorizzati che Tyra non reggesse un incantesimo così potente.

La nostra amica invece, ci tranquillizzò e ci sorprese allo stesso momento. Come se non avesse mai fatto altro in vita sua, distese completamente le braccia sull'oceano e le sue labbra si mossero all'unisono con quelle di Viviana. L'aria attorno a loro parve tremolare e un istante dopo Viviana si accasciò sulle ginocchia.

Feci per scattare verso di lei, ma Galahad fu più veloce. e riuscì a sorreggerla prima che toccasse il suolo.

L'aiutò a tenersi in piedi e la sostenne, accompagnandola lontano da Tyra, in modo che non si distraesse.

Viviana, così esausta, sembrava quasi umana. Prendeva respiri profondi e le sue braccia tremavano leggermente.

Mi affrettai a raggiungerla.

«Dama Viviana state bene?» chiesi.

Lei annuì ma non disse niente, come se fosse senza fiato. Non l'avevo mai vista così vulnerabile.

Preoccupata, rivolsi lo sguardo verso Tyra.

Se una maga potente come Viviana è stata ridotta in questo stato dall'incantesimo... Tyra reggerà? pensai, torcendomi le mani per l'ansia. La mia amica teneva le palpebre serrate per la concentrazione e le sue labbra si muovevano rapidamente. Il sudore le imperlava la fronte e una gocciolina di sangue iniziava a colarle dal naso, ma per il momento sembrava potercela fare, sembrava resistere.

Viviana intanto recuperava le forze con una velocità sorprendente, tanto che fu presto in grado di parlare. «Guardiani, quello che avete fatto è incredibile...» disse con un sorriso dolcissimo e una voce che pareva provenire da molto lontano. «Siete riusciti a raggiungere Avalon, da soli, nonostante i passaggi fossero chiusi e le ombre di Mordred vi inseguissero. Grazie a voi, c'è ancora una speranza...»

«Sì? E quale? La situazione sembra un po' grigia sinceramente...» mugugnò Rob.

Ma Viviana non gli rispose. La sua espressione si fece determinata, e si rialzò nuovamente in piedi, fresca e riposata. Era talmente potente che le era bastato fermarsi per qualche secondo per riprendersi.

Si diresse a grandi passi verso Tyra, riprese il suo posto accanto a lei e le fece un breve cenno del capo. Poi alzò le braccia e un istante dopo la mia amica crollò al suolo.

Galahad fu pronto ad afferrarla, e a prenderla in braccio prima che toccasse terra. «Sta bene, è solo svenuta...» ci rassicurò. «Ha solo bisogno di riposare. È davvero incredibile che sia riuscita a reggere tanto…» aggiunse ammirato.

Poi, reggendo Tyra tra le braccia, ci scortò verso le

mura interne del castello. Sentivo le membra così stanche e pesanti che per un attimo pensai di sdraiarmi lì dove mi trovavo, sotto uno dei meli del giardino, ma continuai a trascinarmi un passo dopo l'altro dietro a Hal e Rob, ansiosa di incontrare Merlino e di avere qualche informazione in più sulle ombre che minacciavano Avalon.

Appena le porte si aprirono, fummo accolti da Parsifal e da una folla di ragazzi, che ci corsero incontro entusiasti, travolgendoci di abbracci, pacche sulle spalle, complimenti, grida di gioia. Fui sopraffatta dal loro entusiasmo. Non me lo aspettavo, ero solo una di loro, che si era trovata in mezzo a guai più grandi di lei...

Parsifal se ne accorse e li ammonì. «Su, su, ragazzi, fate spazio, lasciateli andare... sono esausti, hanno bisogno di riposare!»

Scoccai un'occhiata alla mia amica ancora svenuta tra le braccia del cavaliere, e mi sorpresi a trovare dentro di me una forza che solo un attimo prima credevo di non possedere.

Dovevamo mantenerci lucidi e saldi, se volevamo completare la missione e sconfiggere Mordred.

Dovevamo farcela, per Viviana, per Tyra, e per tutti i nostri compagni che confidavano in noi.

Re Artù, pensai arrossendo, avrebbe fatto lo stesso.

Mentre Galahad si allontanava con Tyra, Parsifal si girò e ci esortò a seguirlo. «Andiamo da Merlino, signori. Dobbiamo comunicare a lui e a tutto l'Alto Consiglio che finalmente sono arrivati i rinforzi.»

Un'importante rivelazione

P arsifal si fermò e il suo sguardo limpido e fiero mi bloccò nel corridoio di pietra.

«Madamigella Pendrake, messeri, prima che entriate devo farvi un'importante rivelazione. Durante la vostra assenza il saggio Myrddin ha continuato a fare ricerche sulle ombre che avevano posseduto i vostri compagni...»

Fece una pausa per ponderare le parole, durante la quale mi attraversò un pensiero improvviso.

Evidentemente anche Rob pensò la stessa cosa: «Sì ma... Namid e gli altri ragazzi che abbiamo salvato sono guariti, no?» Si girò, come per avere conferma.

Namid, in testa al nutrito gruppetto di ragazzi e ragazze che ci seguivano impazienti, annuì deciso, ma l'espressione che gli incupì il volto era tutt'altro che rasserenante. C'era dell'altro, era evidente. Ad Avalon avevano scoperto qualcosa che noi ancora ignoravamo.

Mi voltai di nuovo, rivolgendomi a Parsifal che ancora mi scrutava severo. «Sir Parsifal, le ombre di Mordred e quelle nubi... sono collegate, vero?»

Parsifal prese fiato. «È molto più di questo, madamigella Pendrake: quando avete portato ad Avalon i ragazzi prigionieri di Mordred perché fossero curati, avete inavvertitamente aperto la strada alle ombre che quegli stessi ragazzi si erano portati appresso. Allo stesso modo in cui voi, madamigella, avete portato nel mondo reale l'ombra che vi ha sfiorata.»

Che cosa avevo fatto! Per salvare i nostri amici, avevo aperto la strada al nemico!

Mi sentii sbiancare e per un attimo mi sembrò che il corridoio mi si sgretolasse sotto i piedi. L'avevo sospettato, ma la verità era anche peggiore di quel che ci avevo immaginato.

Parsifal mi si avvicinò. «Madamigella, so cosa vi passa per la testa...» disse abbassando la voce «Ma vi prego di non farvi turbare da quello che vi ho detto. Non potevate sapere quello che sarebbe successo, e non potevamo saperlo nemmeno noi. Avete fatto la scelta giusta insistendo per riportare i ragazzi rapiti ad Avalon. Avete compiuto il vostro dovere di Guardiana della Soglia, e così i vostri amici.»

Smise di parlare per un istante e il suo viso si addolcì in un'espressione nostalgica. «Sapete?» rivelò poi con un sorriso, «il nostro amato re Artù ci ha insegnato a batterci con coraggio e senza esitazione per il bene, ma non sempre era facile capire quale fosse la soluzione migliore per tutti. Guardiani della Soglia, quello che è fatto, è fatto. Ora possiamo solo concentrarci sul modo di sconfiggere il nemico una volta per tutte.» Le ultime parole le pronunciò risollevando il mento e tornando a osservarci con fierezza.

Parsifal aveva ragione, ma io mi sentivo comunque in colpa.

Attraversammo in silenzio l'atrio d'ingresso la cui penombra era a malapena rischiarata da una fila di alte, strette finestrelle.

Da lì, tramite un pesante portone centrale, si accedeva al piccolo cortile quadrato circondato da imponenti colonne di pietra dove Rob, Tyra e io eravamo stati presentati ai Leggendari per la prima volta. Sembrava passato un secolo, invece era trascorsa solo una manciata di mesi.

Hal si affrettò ad aprire i battenti, mentre Parsifal,

senza fermarsi, ordinava ai ragazzi dietro di noi di non seguirci. Rob e io li salutammo con il tacito accordo che li avremmo aggiornati più tardi.

Subito dopo ci ritrovammo di nuovo all'esterno, davanti al magnifico melo che sembrava sorgere dalla pura pietra. Ai tavoli di legno massiccio disposti intorno all'albero millenario, trovammo i Leggendari più grandi, seduti accanto a Merlino.

Li passai in rassegna con lo sguardo. «Ma non doveva esserci l'Alto Consiglio, riunito qui?» domandai perplessa, notando l'assenza dei rappresentati delle altre isole magiche.

«Non sappiamo fin dove né come si sia estesa la Tempesta d'Ombra... ma sospettiamo che senza la barriera di Viviana a proteggerle, le altre isole magiche siano cadute in preda all'ombra di Mordred e che gli altri membri dell'Alto Consiglio siano già addormentati...» mormorò Parsifal.

«Che orrore...» sospirai immaginandomi i più grandi eroi delle leggende di tutti i tempi ridotti a gusci vuoti privi di volontà: Ippolita, Arjuna, Ey de Net, Tin Hinan, Antinea, Zhang Guolao e tutti gli altri che avevo potuto vedere solo da lontano e di cui non ricordavo i nomi...

I pensieri cominciavano a sfumare nella mia testa.

Non vedevo l'ora di riposarmi e sperai che la riunione non andasse per le lunghe.

Per fortuna Merlino si alzò e ci venne incontro quasi correndo. «Miei cari ragazzi, siete qui!» esclamò in tono sollevato. «State tutti bene?» domandò poi, scrutandoci a uno a uno con i suoi attenti occhi azzurri.

Borbottammo un sì frastornato, cercando di rimanere lucidi per la conversazione sicuramente lunga che ne sarebbe seguita, ma Merlino ci sorrise. «Sono molto fiero di voi» disse con una dolcezza che raramente avevo udito nella sua voce. «Davvero molto fiero. E mi scuso se non abbiamo potuto aiutarvi.»

Poi levò lo sguardo al cielo, oltre la chioma del grande melo, e gettò uno sguardo truce alle nubi ammassate fuori dalla barriera. Scosse la testa e tornò a rivolgersi a noi. «Abbiamo aspettato con ansia il vostro ritorno, ma benché fossimo molto in pena per voi, sapevamo che vi avremmo rivisti sani e salvi.»

Richiusi la bocca e lo fissai con aria istupidita. Non sapevo proprio cosa dire.

«Galahad e Parsifal vi hanno spiegato cosa sta succedendo, vero?» ci domandò.

«A grandi linee, sì» rispose Hal reprimendo uno sbadiglio.

«Bene. Allora andate pure a riposare, Guardiani. Qui non c'è molto che possiate fare se prima non riprendete le forze. Il sole sta per volgere al tramonto...»

Scrutai in alto, ma al di fuori della barriera protettiva imperversavano le ombre e non c'era modo, almeno per me, di capire che ore fossero.

«Parleremo domani mattina, dopo una buona colazione. Ora andate, andate! E fatevi un bagno, signori. La puzza di Arpia si sente anche a distanza...» ci esortò con un gesto svolazzante della mano. Adesso sì che lo riconoscevo!

Merlino girò sui tacchi e tornò a sedersi con i Leggendari, lasciandoci imbambolati in mezzo al cortile. Non ce lo facemmo ripetere. Del resto sarebbe stato impossibile ragionare su alcunché, quindi ci ritirammo nel dormitorio strascinando i piedi e senza dire una parola.

La mattina dopo mi svegliai riposata. Mi sentivo così bene che appena aprii gli occhi feci un largo sorriso, stiracchiandomi nel lettuccio che mi era riservato ad Avalon.

Poi, come una valanga, arrivarono i ricordi dei giorni precedenti e balzai fuori dal letto scalciando via le lenzuola ruvide dalle gambe. «Ma quanto ho dormito?!» strillai allarmata. Dall'altra parte della tenda divisoria udii un brontolio sommesso. «Mmh... che hai da urlare?»

Con uno scatto tirai indietro la tenda e vidi Tyra avvolta nella coperta che mi scrutava con un occhio aperto e l'altro chiuso. Fui così contenta di vederla sveglia e in salute che corsi ad abbracciarla.

«Tyra! Sei stata fantastica! Lo sapevo che ce l'avresti fatta! Anche se a un certo punto avevo una paura tremenda che l'incantesimo ti uccidesse, lo ammetto...

«È stato...» Tyra prese fiato e rovesciò indietro la testa con una risata. «Incredibile! Semplicemente incredibile!» esclamò, al colmo dell'eccitazione.

«Ti riferisci all'incantesimo di ieri?» le domandai, saltellando su un piede per infilarmi i calzoni di panno ruvido in stile medievale.

Non c'era più nessuno nel dormitorio, perciò eravamo senz'altro in ritardo per la colazione.

«Grazie» rispose Tyra, ravvivandosi la matassa di riccioli che le incorniciavano il viso. «Ma non mi riferisco a quello... dopo avermi rivelato l'incantesimo della barriera, Viviana mi ha detto che mi insignerà della capacità di aprire i passaggi tra i mondi! Potrò far passare nel mondo reale i nostri compagni intrappolati qui da giorni... non dovranno rimanere ad Avalon per sempre. E nemmeno noi!»

Sgranai gli occhi, felice e sollevata dalla notizia.

«Certo» aggiunse Tyra, increspando la fronte. «Sono incantesimi molto difficili e dovrò studiare duramente per impararli, ma Viviana ha fiducia in me e mi ha dato il suo benestare per accedere ai testi più antichi. Ha detto che sono la prima incantatrice ad avere l'onore... e anche l'onere di farlo.»

«Oh, Tyra...» Fu l'unica cosa che riuscii a dirle.

Entrambe con gli occhi lucidi, ci abbracciammo a lungo nel corridoio del dormitorio, finché il silenzio attorno ci ricordò che dovevamo muoverci.

Come c'era da immaginarsi, nel refettorio trovammo i nostri amici letteralmente circondati dagli altri ragazzi che volevano sapere tutti i sui particolari delle nostre peripezie.

Rob e Hal erano immersi in dettagliate e colorite spiegazioni su quanto fosse stato eroico, difficilissimo, persino letale viaggiare sulle arpie.

Mentre Tyra e io, ridacchiando, ci riempivamo la pancia di torta di mele, frittelle di mele, succo di mele e mele caramellate, non potemmo fare a meno di notare che i particolari del nostro viaggio da Eea fino ad Avalon stavano assumendo sfumature sempre più apocalittiche.

Per una volta li lasciammo fare, l'atmosfera era così gioiosa e serena che non avevamo cuore di contraddirli e in breve la nostra tavolata si riempì di risate.

Poi arrivò Merlino a riportarci bruscamente al nostro dovere. «Riposato bene?»

«Sì, grazie!» rispondemmo allegramente.

«Allora seguitemi!» ordinò lapidario. E senza neanche aspettarci si allontanò dal tavolo.

«Forza...» mormorò Hal, alzandosi di colpo e trangugiando il suo succo di mele. «Muoviamoci, Guardiani!»

Tyra e io scattammo in piedi e gli trottammo dietro. Rob, invece, guardò mesto il suo vassoio ricolmo di dolci alle mele. «Ma io non ho finito...» lo sentii lagnarsi.

«Sbrigati, lumaca!» lo richiamai.

Quando Rob ci raggiunse, gli vidi un paio di fette di torta sbucare da ciascuna tasca della tunica. Non gli dissi niente, ma continuai a seguire Hal ridacchiando sotto i baffi.

Merlino si voltò soltanto quando arrivammo in biblioteca. «Giovani Guardiani, ora vi attende un compito di vitale importanza: condurre accurate ricerche.»

Eh? Tutto qui? Abbiamo affrontato di tutto, negli ultimi giorni, e adesso dobbiamo fare i topi di biblioteca? Anche qui? A New York non avevo fatto altro per giorni e giorni!

Merlino mi squadrò con le mani sui fianchi, come se

mi avesse letto nel pensiero. «Non mi guardi così, madamigella Pendrake. Non sottovaluti mai il potere di una ricerca d'archivio ben condotta!»

Rob tossicchiò. «Ehm, saggio Merlino, signore... che cosa dovremmo cercare, esattamente?»

«Non è chiaro?» tuonò Merlino sollevando un folto sopracciglio bianco. «Il modo per sconfiggere le Ombre di Mordred, visto che niente sembra funzionare in maniera permanente! Continuano a riformarsi anche dopo i più nostri potenti incantesimi! È da settimane che sono chiuso nella mia torre a scartoffiare tra tutti i tomi, le pergamene, i volumi contenuti nella mia personale, e infinita, biblioteca magica, eppure non ho trovato niente... magari voi riuscirete a trovare qualcosa che a me è sfuggito! Magari c'è una soluzione semplicissima a questa situazione complicata e io, vecchio bacucco come sono, proprio non riesco a vederla...»

Poi sembrò ritrovare il contegno. «Bene, bene...» borbottò. «Scusate, ma c'è davvero molto da fare e il tempo stringe. Confido nei vostri giovani occhi e nelle vostre menti acute. La soluzione c'è, ed è qui da qualche parte in questi vecchi volumi. Io mi ritiro a continuare le ricerche nella mia torre, mandate un thrall ad avvertirmi non appena trovate qualcosa, qualsiasi cosa, che possa esserci d'aiuto» disse indicandoci file e file di scaffali pieni di libri polverosi e pergamene arrotolate con cura.

Fantastico. Mi trasformerò in un topolino impolverato.

Dal momento che Merlino sembrava avere finito con noi, ci apprestammo a setacciare ogni angolo della biblioteca, ma il mago tornò sui suoi passi. «Ah, signorina Hope! Lei no, il suo compito è un altro. Ci metta tutto il suo impegno, mi raccomando.»

Dopodiché restammo soli nella sala circolare della biblioteca: Tyra a un capo del tavolo, testa china sui libri di incantesimi e mani tra i capelli, e noi all'altro, nella stessa identica posa. Ognuno di noi era circondato da montagnole di vecchi libri, pergamene ingiallite, mappe antiche e ogni sorta di manuale e reportage storico. Passammo così ore e ore, mentre Rob sbriciolava tortini di mela su fogli che dovevano avere un valore inestimabile.

«Devi proprio farlo?» gli sussurrai indignata.

Lui mi liquidò con un gesto indolente della mano. «Non mi concentro, se non mangio.»

«Tu non fai niente, se non mangi!» precisai.

Verso mezzogiorno, un thrall venne a chiamarci per il pranzo. Che ovviamente non durò abbastanza: dopo pochi minuti fummo rispediti in biblioteca, per uscirne soltanto all'ora di cena.

Il primo giorno era passato e non eravamo arrivati ad alcuna conclusione. Il secondo si ripeté identico, salvo quando Parsifal prelevò Tyra perché desse il cambio a Viviana. Avevamo tutti gli occhi stanchi, la polvere fino ai capelli e il bisogno di sgranchirci, ma continuammo senza più lamentarci: il mondo magico e quello reale contavano su di noi.

Inferno, Canto XXXII, 61-62

La mattina del terzo giorno eravamo di nuovo in biblioteca e io cominciavo a disperare che lì avremmo trovato qualcosa di utile, malgrado Avalon fosse mille volte più rifornita dell'intero sistema bibliotecario di New York. Se nemmeno il grande Merlino era riuscito a trovare una soluzione, perché avremmo dovuto riuscirci noi? Mi sembrava solo un grande spreco di tempo. E di tempo ne avevamo molto poco.

«Wow...» sentii mormorare Rob. «Gli esami di fine anno non sarebbero un problema se la mia scuola avesse tutta questa roba su cui fare ricerche.»

«Questa roba...» ripeté Hal con il naso immerso in una raccolta di antiche leggende irlandesi. Era del dodicesimo secolo, scritta a mano, e dallo stato incartapecorito delle pagine sospettai che fosse autentico. «È uno dei più grandi tesori di Avalon, Rob! Dopo le armi degli Eroi, il melo del Consiglio e me, ovviamente...» disse sogghignando. Il ciuffo che aveva sulla fronte era tornato perfetto, da quando avevamo a disposizione un bagno. «Quindi cerca di non imbrattarlo di frittelle di mela, per favore.»

«Io ti avevo detto di prendere i tortini. Sono più friabili ma meno appiccicosi, tu però non mi hai ascoltato» ribatté Rob masticando.

«Non è colpa mia se i tortini erano finiti, ma tua!» controbatté Hal.

A quel punto Rob allontanò da sé il pesante volume che stava consultando e lo guardò con un sorriso malandrino. «Secondo me il tuo ciuffo ha bisogno di un'aggiustatina.»

Hal sollevò gli occhi dal suo libro e fissò Rob con aria di sfida.

«No. No, ragazzi, sentite...» provai a fermarli. Ma inutilmente.

Quello che seguì fu ben lontano dalla compostezza che ci si aspetta dall'erede di un Leggendario. Fu una battaglia epica a suon di tovagliette piene di zucchero e briciole dove Hal e Rob avevano avvolto le frittelle trafugate dal refettorio, con seggiole di legno massiccio a fare da scudi e la sottoscritta che si riparava sotto il tavolo cercando di portare con sé ogni libro che riusciva a salvare.

La sala circolare si riempì di risate, gridolini e tramestio di stivali sul pavimento di pietra, così non sentimmo nemmeno Tyra che tornava dopo essere salita alla torre di Merlino a prendere dei libri di incantesimi. Il risultato fu catastrofico: appena aprì la porta fu colpita a tradimento da una tovaglietta. In piena faccia!

Ci fu un attimo di silenzio in cui Tyra riprendeva fiato guardando la tovaglietta che giaceva ai suoi piedi. Poi allungò un indice sul suo viso, lo passò sulla guancia e se lo scrutò con aria indagatrice. «È zucchero a velo» constatò con voce atona.

Da sotto il tavolo vidi Hal e Rob trattenere il fiato. Dopodiché li vidi correre per sfuggire alla furia dell'allieva incantatrice più potente di Avalon.

Stavo per gettarmi nella mischia, quando un'elegante edizione antica della Divina Commedia sul pavimento catturò la mia attenzione. Faceva parte della pila di libri che avrei dovuto consultare quel giorno ed era aperta su un'illustrazione molto vivida di un girone dell'Inferno.

Mentre nella sala si scatenava il putiferio come nell'ora

dell'intervallo in una scuola elementare, io mi accucciai sulle pagine aperte. Una facciata era occupata interamente dalla scena di una piana che pareva perdersi all'orizzonte, il teatro macabro e oscuro di un campo di battaglia medievale. I colori erano cupi, confusi, e la piana disseminata di corpi inerti, lance, scudi abbandonati e vessilli piantati nel terreno fangoso. Un brivido mi scosse dalla testa ai piedi: mi sembrava di essere già stata in un posto simile. Ma ciò che mi colpì subito non era lo sfondo. In primo piano erano rappresentati due cavalieri: uno sdraiato a terra, ferito gravemente, con una tunica scarlatta che rivestiva l'armatura sporca di sangue e fango; l'altro, più giovane, era in piedi e torreggiava su quello a terra, ma aveva una spada conficcata a fondo nel petto, tanto che la punta gli usciva dall'altra parte. La testa cominciò a girarmi come sulle montagne russe. Ormai non sentivo più le risate dei miei amici e il loro trambusto sul pavimento di pietra: conoscevo quella spada. Anche se non l'avevo mai vista integra, riconobbi l'elsa che risplendeva di luce propria, il filo più tagliente di un rasoio... sentii persino il suo peso nella mano, la sentii con tutto il corpo, come se fosse parte di me. Era Excalibur. Fissai quindi i volti dei due cavalieri: uno era Artù, il viso contratto da un dolore che non era solo fisico. L'altro assomigliava al re, era bello e fiero, ma nei suoi occhi si leggevano avidità, freddezza e un odio da cui non riuscivo a distogliere lo sguardo, inorridita e affascinata allo stesso tempo. Cercai di riprendermi e passai alla pagina accanto. Lì erano scritti i versi di Dante. In cima alla pagina lessi: *Inferno, canto trentaduesimo*. Ricordavo di averlo studiato. Era il girone dove il poeta aveva messo i traditori del proprio sangue, coloro che avevano ingannato la propria famiglia, le persone più care, quelle che invece avrebbero dovuto ricevere amore e lealtà.

Colta da un forte senso di impazienza, scorsi rapidamente i versi di Dante con l'indice. Finché arrivai al numero sessantuno. I dannati di quel girone erano intrappolati nel ghiaccio fino al viso e uno di loro, che stava parlando con il poeta degli altri dannati, gliene indicò un altro:

"*Non quelli a cui fu tolto il petto e l'ombra.*
Con esso un colpo per la man d'Artù; [...]"

Lessi e rilessi i versi 61 e 62 non so più quante volte, poi improvvisamente, come fulminata, capii: l'altro cavaliere era Mordred, a cui Artù aveva trapassato il petto e l'ombra con la sua spada. Sapevo da quanto mi aveva rivelato la stessa Morgana, che Artù aveva trapassato Mordred con Excalibur, la spada che avrebbe dovuto usare per fare del bene, per guidare con saggezza, e non per uccidere. L'altra spada che Artù usava per combattere giaceva a terra, troppo lontano, e il re era stato costretto a sguainare l'unica che gli restava. Artù lo aveva fatto per salvare il regno, ma sapeva che usando Excalibur, questa si sarebbe spezzata? Oppure non poteva immaginarlo?

Chiusi gli occhi e immaginai cosa doveva essere accaduto: Artù aveva estratto la spada dal petto di Mordred, lasciandogli un solco dentro il quale era passata la luce del giorno, una ferita che aveva trapassato anche la sua ombra.

Excalibur si era spezzata subito dopo, ma intanto Mordred al quale Artù trapassò il petto e *l'ombra* con Excalibur, era stato sconfitto...

Feci due più due: avevo trovato la soluzione.

Balzai in piedi, dimenticandomi completamente che mi trovavo sotto un durissimo tavolo di quercia.

Dopo un paio di imprecazioni soffocate e l'immagine dell'intero firmamento che sfavillò dietro alle mie palpebre chiuse, strisciai fuori portandomi la Divina Commedia con me.

«Ragazzi... ragazzi, fermi. Ascoltate qua un attimo, ragazzi...» Alla fine mi toccò sbraitare: «Ragazziii!»

Rob, Hal e Tyra, inzaccherati e rivestiti di briciole

dalla testa ai piedi, si fermarono di colpo in mezzo a un inseguimento. Si voltarono, guardandomi interrogativi.

Dovevo avere un'espressione davvero sconvolta perché Tyra mi domandò: «Stai bene?»

«No! Cioè sì!» Scrollai la testa. «Insomma, venite qui!»

Saltellando da un piede all'altro per l'eccitazione, mostrai loro la mia scoperta e spiegai come in quei minuti avevo collegato un pensiero all'altro, un'immagine all'altra. Finché arrivai alla conclusione: «La spada di Artù è così potente da poter sconfiggere Mordred e la sua ombra. L'unica arma in grado di farlo. Capite? Se Artù ci è riuscito una volta, io posso rifarlo! Soltanto così ci libereremo di lui!»

Per un attimo, i miei amici mi guardarono attoniti. Nel silenzio della biblioteca potevo quasi sentire il ronzio dei loro pensieri: c'era un dettaglio che a loro non era sfuggito e di cui invece io avrei dovuto parlare. *Excalibur era spezzata*. Un problema grande come una casa, che richiedeva una soluzione immediata.

«Angy, hai trovato il modo di sconfiggere Mordred, ma...» mormorò Tyra, guardandomi tesa.

Hal incrociò le braccia con un pesante sospiro. «Ma Excalibur è spezzata...» concluse per lei.

«Lo so...» dissi abbassando lo sguardo sulle mattonelle

sconnesse del pavimento. Non mi venne da dire nient'altro, quel che era ovvio era ovvio.

«Ragazzi, via, non abbattiamoci!» ci esortò Rob. «Abbiamo affrontato di peggio, non credete?»

«Cosa può esserci di peggio di un'arma spezzata, quando l'arma in questione è l'unica cosa che può evitare di trasformarci tutti in burattini senza cervello?» sbottai.

Rob sfoderò uno dei suoi sorrisi più belli. «Se Excalibur è spezzata, allora riforgiamola! Cioè... non noi, il tizio che l'ha forgiata per la prima volta.»

Lo guardai di traverso. «Di chi diamine stai parlando, Robert Lockwood?»

«Del mitico Weland il fabbro, lui forgiò Excalibur!» esclamò in tono ovvio. «Era in Miti e Leggende del Nord di cui nessuno parla ma che esistono davvero.»

«Sei serio?»

«Ah-ah. Lo stavo consultando poco fa, giusto un istante prima che Hal mi distraesse dai miei doveri.»

«See!» protestò Hal, dandogli un buffetto sul braccio.

«Beh, ma allora che stiamo aspettando?» intervenne Tyra, più entusiasta di me. «Andiamo a leggere dove si trova questo Weland!»

Servirebbe un miracolo!

Un'ora più tardi stavamo ascoltando ogni genere di raccomandazione da Merlino, mentre due thrall ci portavano scorte di cibo da infilare negli zaini.

«Fate attenzione alla Tempesta d'Ombra e tenetevi alla larga dalle foreste e dalle caverne» ci ricordò il mago facendo su e giù per il cortile del Grande Melo. «Le creature di quell'isola non hanno il minimo senso dell'umorismo.»

«Chissà perché la cosa non mi stupisce» borbottò Rob.

Merlino ci diede la sua benedizione, ci augurò buona fortuna e senza aggiungere altro tornò nel refettorio, dove nel frattempo erano stati riuniti gli altri Leggendari: era stato comunicato loro di prepararsi perché di lì a poco Tyra avrebbe riaperto i passaggi e li avrebbe riportati a casa. Per farlo, però fu necessario trovare una soluzione alternativa. Le ombre che invadevano l'Oceano Magico impedivano di accedere al solito approdo sulla spiaggia, appena fuori dalle mura del castello, ed era quindi impossibile rimandare a casa i ragazzi in barca da quel punto come di consueto.

Per nostra fortuna, dalle nostre esplorazioni clandestine dei mesi precedenti avevamo scoperto che proprio sotto il castello e quindi ben protetta dalla barriera creata da Viviana, c'era un sistema di caverne scavate nella roccia dalle onde del mare nel corso dei millenni.

Le grotte purtroppo erano piccole e strette e i ragazzi dovettero stare un po' pigiati e a mollo nell'acqua gelata. Scegliemmo quella meno angusta e quando tutti ebbero preso posto, tra mille proteste, la caverna venne avvolta dalla nebbia, come in una sauna, mentre le pareti rocciose echeggiavano dei richiami degli studenti.

«Ehi, non vedo niente!»

«Brrr... l'acqua è gelata!»

«Attento, mi hai tirato una gomitata!»

«Ma quanto dura questa tortura?»

Finalmente, a un tratto, le loro voci si affievolirono, come un eco lontano, la nebbia si dissolse e la grotta dove si erano ammassati ci apparve nuovamente vuota.

«Adesso capisco perché Viviana preferisce rimandare i ragazzi a casa tramite delle barche, questo metodo della grotta non è molto dignitoso!» ridacchiai, mentre Tyra riemergeva dall'acqua azzurra dove era stata immersa fino ai polpacci per compiere l'incantesimo.

Lei corrugò la fronte. «Spero di averli mandati nei posti giusti...»

«Beh, al massimo avrai spedito qualcuno in vacanza!» ridacchiò Rob. «A me non dispiacerebbe se per una volta, invece di tornare a Toronto, mi ritrovassi su una spiaggetta della Polinesia a sorseggiare cocktail ghiacciati e a prendere il sole spaparanzato sulla sdraio.»

L'immagine piacque molto anche a me, ma avevamo altro a cui pensare, perciò lo tirai per la manica e lo trascinai verso la barca su cui era saltato Hal.

Ora toccava a noi.

Purtroppo la nostra destinazione non si trovava nel mondo reale, quindi Tyra non avrebbe potuto aprire un passaggio diretto per noi. Avremmo dovuto andarci via mare, attraversando di nuovo la Tempesta d'Ombra che avvolgeva non solo Avalon, ma la maggior parte dell'Oceano Magico.

Fortunatamente l'incantesimo barriera che Viviana le aveva insegnato, avrebbe potuto servire alla nostra situazione… anche se più in piccolo.

Quando ci fummo tutti accomodati nella barchetta, Tyra alzò le braccia e tutto attorno a noi si creò una barriera invisibile, che riuscivo a intravedere solo concentrandomi a cogliere le variazioni nella densità dell'aria attorno a noi, che appariva tremolante e quasi liquida.

Usciti dalla grotta, immediatamente ci trovammo di fronte la barriera di Viviana: le ombre vi si infrangevano contro rabbiose, come onde in un mare in tempesta.

Trattenni il fiato. Saremmo riusciti a passare?

La prua della nostra barca, avvolta nella piccola barriera creata da Tyra, era ormai a pochi palmi di distanza.

Poi, come due bolle di sapone che si separano, la nostra attraversò la cupola magica di Avalon e se ne staccò, tuffandosi nell'ombra...

Trattenni il fiato per la meraviglia.

La nostra piccola, fragile imbarcazione solcava le onde dell'oceano avvolto dal buio più nero, mentre la bolla che ci proteggeva sembrava intrappolare al proprio interno tutta la luce del giorno. La barca, mossa dalla magia di Tyra, scivolò leggera sull'acqua e prese il largo, mentre Hal e io studiavamo la mappa magica che ci aveva dato Merlino, incantata per segnare anche la posizione di chi la utilizza... come una specie di gps.

La nostra destinazione era l'isola di Thule, che nel mondo reale era spesso identificata con la Svezia, altre volte con la Norvegia e altre ancora con la Groenlandia, ma che in realtà era stata trasportata nella dimensione magica quando Viviana aveva separato i due mondi, proprio come Avalon.

Lanciai anch'io un'occhiata alla mappa: Thule era molto distante da Avalon, ancora più di quanto lo fosse Eea... Sperai con tutta me stessa che le ombre non l'avessero ancora toccata, altrimenti, tutto sarebbe stato perduto: Weland il fabbro sarebbe stato ridotto a una larva, un inutile guscio vuoto privo di volontà, e non avrebbe certo potuto aiutarci a riforgiare Excalibur.

Non dissi nulla ai miei amici.

Loro infatti sembravano così entusiasti della nostra spedizione, ma mi sentii stringere lo stomaco in una morsa di paura.

Per il resto, notai dalla mappa, Thule sembrava la

perfetta isola magica dei miti norreni: coste incise profondamente da fiordi che non vedevano mai la luce del sole, intricate foreste infestate da troll, monti ghiacciati spazzati dai venti, piane rocciose bucherellate da geyser e caverne oscure dove certo si nascondevano draghi feroci...

Ci aspettava proprio una gran bella avventura!

Man mano che avanzavamo, notai preoccupata che Tyra si faceva sempre più stanca: la sua fronte era imperlata di sudore freddo e le sue braccia erano percorse da un leggero tremito.

Certo, la nostra barriera era infinitamente più piccola di quella che proteggeva Avalon e le ombre, occupate ad accanirsi contro Avalon, sembravano tutto sommato ignorarci, e tenerle a bada era più facile...

Tuttavia non potevo fare a meno di essere in ansia.

Per lei, sì, la mia amica. Come avrebbe fatto a reggere l'incantesimo fino a Thule? L'unica nostra speranza era che la Tempesta d'Ombra non si estendesse fino all'isola...

«Quanto manca?» chiesi sottovoce a Hal, che non perdeva d'occhio la mappa.

«Troppo...» mi rispose lui in un sussurro, la fronte aggrottata. Poi, mentendo spudoratamente, aggiunse a voce alta: «Coraggio Tyra, ci siamo quasi, mancano pochi chilometri!»

Tyra fece un cenno del capo per farci capire che aveva sentito, ma non si distrasse neanche un istante per risponderci. Era troppo affaticata per parlare.

Proseguimmo così per una mezz'ora, con l'ansia che ci attanagliava. A un tratto Tyra vacillò e Rob fu pronto a sostenerla. Era allo stremo delle forze.

Osservai la bolla che ci proteggeva e notai che in alcuni punti sembrava assottigliarsi e lasciava trasparire il buio... Senza abbassare le braccia, né interrompere l'incantesimo, Tyra si lasciò cadere in ginocchio. Non ce la faceva più.

Io e Robb ci mettemmo di fianco a lei per sostenerla, e non smettevamo un istante di incoraggiarla, di asciugarle il sudore dalla fronte e tamponare il sangue che ormai le scendeva copioso dal naso... purtroppo era tutto quello che potevamo fare per aiutarla.

L'incantesimo era molto faticoso e Tyra non aveva sufficiente esperienza e forza per sostenerlo a lungo.

Quando ormai pensavo che saremmo stati inghiottiti dal buio da un istante all'altro, di colpo fummo lanciati fuori dall'oscurità, proprio come una bolla d'aria che esplode da un calderone di pece ribollente, e ci ritrovammo immersi in un'abbagliante luce lattiginosa. Salvi!

La Tempesta d'Ombra, che circondava Avalon e da lì si espandeva come una macchia oscura sull'Oceano Magico, era finalmente alle nostre spalle.

Senza una parola, Tyra si accasciò sul fondo della barca e cadde in un sonno profondissimo.

A quel punto Hal issò la vela e ci alternammo a governarla. Il viaggio fu lunghissimo e tra un turno al timone e l'altro, trascorsi il tempo sonnecchiando e sbocconcellando dolcetti alle mele. Avevo giusto chiuso gli occhi per un ennesimo pisolino, quando Rob mi svegliò con uno scossone.

«Siamo arrivati, dormigliona!»

«Senti chi parla!» borbottai stiracchiandomi.

Quello che si aprì alla mia vista fu un paesaggio dalla bellezza straordinaria: ci trovavamo nell'insenatura alta e stretta di un fiordo; erti pendii si immergevano a picco nell'Oceano impedendo ai raggi del sole di toccarne il fondo, mentre sparuti alberelli e cuscini di morbido muschio chiazzavano di verde le pareti; una spiaggia di soffice sabbia candida sembrava pronta ad accoglierci.

Era proprio come nella mappa, solo che invece di essere

inquietante, il luogo trasmetteva un profondo senso di pace e magnificenza. Che però durò pochissimo.

Ci stavamo giusto guardando attorno, ammirando il paesaggio, quando sentimmo la barca sobbalzare.

«Che è stato? Siamo arrivati?» disse Tyra, con voce impastata, mettendosi a sedere a fatica.

«Sì, grazie a te! Ma qualcosa ci ha sfiorati... c'è *qualcosa*, qua sotto!» rispose Hal, sporgendosi dalla barca.

Scrutammo tutti nell'acqua scura, ma non vedevamo niente di strano.

«Là!» esclamò Tyra indicando un punto nei pressi della barca. «Una fila di squame!»

I nostri occhi scattarono inquieti là, nella direzione dove puntava il suo indice, ma ancora una volta non scorgemmo nulla.

«Credevo... forse ho visto male» si corresse Tyra.

«Meglio togliersi dall'acqua!» propose Hal.

Tyra, che si era perfettamente ripresa, ordinò alla barca di muoversi e in pochi minuti raggiungemmo la piccola spiaggia candida che avevamo visto poco prima.

«Fate attenzione!» ci raccomandò Hal non appena mise piede sulla terraferma. «Questi ciottoli sono piuttosto taglienti.»

La riva, che da lontano sembrava soffice sabbia bianca, era cosparsa di minuscole schegge di roccia. Attenta a dove mettevo i piedi, aiutai gli altri a tirare a riva la barca, poi mi incamminai dietro a Tyra, che procedeva in testa al gruppo con la mappa spiegata, come una guida scout. «Weland dovrebbe abitare alla fine del sentiero.» ci informò.

Sentii Rob deglutire rumorosamente, mentre lanciava lunghe occhiate oltre il folto degli alberi. «Nessun altro ha la sgradevole sensazione che Thule sia... ingannevole?»

«Sono d'accordo con te» convenni. «È meglio stare in guardia...»

Camminammo per una buona mezz'ora. Anche se tutto intorno sembrava tranquillo, io non mi sentivo affatto al sicuro: non riuscivo a smettere di girarmi ogni pochi passi.

«Che c'è?» mi domandò Hal dopo la trentesima volta.

«Non so, è come se qualcuno ci seguisse.»

Hal mi fissò senza rallentare né voltarsi indietro, ma qualcosa della sua espressione mi confermò che non era una mia fantasia.

«Non ti fermare...» disse alla fine. «Dovremmo essere quasi arrivati.»

Appena tornai a guardare davanti andai a sbattere contro la schiena di Tyra.

«Ma che...» le parole mi morirono in gola.

Nella radura di fronte a noi c'era un essere mostruoso, gigantesco, un drago dall'aspetto di un serpente, con le squame perlacee e quattro zampe possenti dotate di lunghi artigli. Dal suo dorso spuntavano ali da pipistrello, ma sembravano decisamente troppo piccole per poterlo sollevare in volo.

Il suo corpo era arrotolato in numerose spire e dalla bocca spalancata fuoriusciva del fumo verdastro e maleodorante.

«Giù!» sibilò Hal tirando me e Rob per l'orlo della tunica.

Anche Tyra si appiattì a terra. «Che diamine è quel coso?!» sussurrò spaventata.

«Un drago vermiforme sputafuoco!» fece Hal, l'ho visto su un libro ad Avalon, assomiglia tutto a quel simpaticone che venne ucciso da Beowulf.

«Beh, in ogni caso, è orrendo...» commentò Rob.

Il drago si contorceva a terra e nel farlo rivoltava grandi porzioni di zolle erbose mandando all'aria sassi e giovani alberelli. Sbuffava furioso, ringhiava e raspava a terra con gli artigli. Pensai che fosse ferito, ma poi tra le sue spire vidi la figura di un essere umano che menava colpi con una grande ascia.

«Guardate, c'è un uomo, dobbiamo aiutarlo!» esclamai angosciata.

«Non è un uomo, è un troll» mi corresse Hal, fermandomi prima che saltassi fuori dal masso dietro cui ci eravamo nascosti. «Proprio come Grendel della saga nordica. Stai giù! Non credo sia lui, ma in ogni caso non ci conviene fare la sua conoscenza, fidati!»

Aguzzai la vista, sorpresa, e notai che aveva ragione. Quello che stava combattendo contro il drago era troppo tozzo e sproporzionato per essere un uomo. Aveva gambe cortissime, grosse come tronchi di quercia, ed enormi braccia muscolose che mulinava senza sosta cercando di colpire il drago. Nonostante il suo impegno, la pelle coriacea del mostro non si scalfiva; era solo molto, molto furioso.

Hal si spostò carponi fuori dal sentiero. «Andiamo via, ragazzi... piano, zitti!»

«Ma come... Non aiutiamo il troll?» gli chiese Tyra stupita.

Hal la fissò costernato. «Scherzi?! Probabilmente quei

due si stanno divertendo. Guarda bene... secondo te il troll è in difficoltà?» gli fece notare.

No, in effetti a veder bene non lo era. Di certo non gli mancavano le energie! Perciò lasciammo le due feroci creature a spassarsela tra di loro e ci muovemmo a lato del sentiero stando bassi e cercando di non fare il minimo rumore.

A un certo punto il drago e il troll, presi dalla furia, presero a rotolare velocemente lungo il pendio.

Venivano proprio dalla nostra parte...

«Via, via, viaaa!» gridò Hal, scattando in piedi e contemporaneamente evocando Gramr.

Senza più alcuna cautela, iniziammo a correre il più lontano possibile dalla loro traiettoria, ma non c'era molto spazio dove poter fuggire: oltre il sentiero di terra battuta, la foresta era un groviglio di ramoscelli bassi, tronchi di alberi maestosi e pietre disseminate ovunque.

Mi ritrovai a saltare massi e aggirare alberi e felci altissime con il cuore che martellava nel petto, mentre Hal tranciava con la sua spada i rami bassi che gli si paravano davanti. Decisi di imitarlo, evocai Excalibur e iniziai a farmi strada nell'intrico della foresta, ma dietro di me, sempre più vicini, sentivo il drago e il troll che ci raggiungevano.

Questa volta non ce l'avremmo fatta, eravamo spacciati!

Poi davanti a noi si aprì una piccola radura dove, al centro, sorgeva una casetta di legno con tanto di orticello e frutteto. Forse eravamo salvi...

Senza ostacoli a rallentarci, corremmo ancora più veloci verso la casa, ma subito realizzai con orrore che anche il drago e il troll non avrebbero avuto più nulla a frenare la loro corsa. Per fortuna, invece di proseguire dritti, i due scartarono di lato non appena raggiunsero il limitare della radura e, sempre rotolando, ringhiando e sbuffando, si allontanarono nel folto della foresta.

«Per un pelo...» ansimai piegata sulle ginocchia.

Ce ne stavamo lì a riprendere fiato, ancora scossi, quando una voce allegra e profonda alle nostre spalle ci fece voltare di scatto.

«Pericolo scampato, eh?» Un uomo ricoperto di fuliggine, veniva verso di noi zoppicando. Si reggeva a una stampella di legno, aveva la faccia cotta dal sole e indossava un lungo grembiule di cuoio da fabbro.

«Weland!» esclamò Rob, sollevato. «Cioè, voglio dire, mastro Weland, siete voi?»

«In persona!» ridacchiò lui con un ghigno scaltro.

Nonostante l'aspetto rude e trasandato, doveva essere

una persona cordiale. Impressione che venne confermata quando ci raggiunse e passammo alle presentazioni. Aveva la stretta di mano salda ed energica di chi è abituato a lavorare sodo e un sorriso che illuminava gli occhi. Sembrava felice di vedere delle facce nuove.

Weland lanciò un'occhiata alla foresta. «Vedo che avete fatto la conoscenza di quei due balordi, signori! Per fortuna vostra, la mia capanna, laggiù, è protetta da un incantesimo che li tiene lontani. Venite, vi offro qualcosa per rifocillarvi!»

Solo allora notai una costruzione bassa, nascosta tra i cespugli e con il tetto coperto di muschio verde.

«Mastro Weland, ci piacerebbe molto approfittare della sua ospitalità, ma abbiamo una missione da compiere e il tempo stringe...» risposi io con un mezzo inchino, sperando che non si offendesse. E intanto mi avvicinai a lui, per mostrargli Excalibur.

«La riconosce?» domandai speranzosa.

Lui si appoggiò alla stampella e, carezzandosi la lunga barba ornata di treccine, scrutò le due metà della spada. «Mmh... ne ho forgiate tante...» rifletté tra sé.

«La prego...» insistetti. «Deve ricordarla, la diede ad Artù, re dei Britanni.»

«Per l'alito puzzolente del drago sputafuoco!» esclamò scioccato, «Excalibur! Che accidenti è successo alla mia magnifica creatura?!»

«È una storia lunga... Però avremmo davvero bisogno che lei riforgiasse questa spada. È di vitale importanza, mastro Weland, da Excalibur dipendono le sorti del mondo.»

Weland mugugnò contrariato: «Siamo alle solite, gli eroi si divertono e a noi poveri fabbri tocca riparare tutti i guai che combinano. Asce, scudi, elmi, lance, spade... non hanno rispetto per niente. Beh...» concluse dopo aver studiato a fondo la lama spezzata. «Mi dispiace informarla, madamigella, che io non posso farci niente.»

«Cosa?!» esclamammo tutti all'unisono.

«Se potessi vi aiuterei, ma una spada come Excalibur può essere forgiata una volta sola, come tutte le armi rivestite di poteri. Io sono un grande fabbro che ha lavorato con dedizione al servizio di molti eroi, ma non sono certo un mago.»

«Quindi avremmo bisogno di un mago?» tagliò corto Hal.

«Neanche un mago potrebbe riforgiarla. Qui ci vuole un miracolo. Oppure...» Lì si fermò, meditabondo.

«Oppure?» ripetei impaziente.

«Dovrete cercare una delle forge di Efesto. Non quella ufficiale che era sotto l'Etna, in Italia. Quella ora si trova nel mondo magico, ed è già stata inghiottita dall'ombra. Efesto aveva creato la sua prima fucina sull'isola di Lemno, in Grecia: amava quel luogo e ci tornava quando voleva riparare un manufatto e rifarlo esattamente com'era. Ho sentito dire che Efesto immergeva gli oggetti rotti nelle acque di una grotta poco distante dalla sua forgia, e questi tornavano come nuovi. Una leggenda racconta che anche l'eroe greco Filottete ci si fosse bagnato per guarire dalla sua ferita... Potrebbe trattarsi solo di una leggenda, oppure... potrebbe essere il miracolo che vi serve.»

Passammo dalla frustrazione alla gioia così rapidamente che per poco non travolgemmo Weland. Lui si ritrasse imbarazzato dai nostri abbracci, anche se notai un fuggente sorriso nascosto nella sua folta barba.

Mezz'ora più tardi eravamo di nuovo sulla riva ghiaiosa, fortunatamente senza aver incontrato altre strane creature. Eravamo pronti a ripartire, ma Hal indugiò prima di salire sulla barca.

«Che succede?» gli domandò Tyra.

Hal restò immobile, lo sguardo fisso nella foresta, poi si voltò scrollando le spalle. «Niente... una strana sensazione, come se qualcuno mi stesse osservando. Ma non è niente, magari è solo lo stress...» disse evasivo.

Guardai anch'io nel folto, ma non vidi niente di sospetto. Sperai davvero che fosse solo lo stress.

A VOLTE, LE LEGGENDE SONO SOLO LEGGENDE...

Lasciammo l'isola di Weland avvolti nelle nebbie. Tyra aveva aperto per noi un passaggio verso il mondo reale con destinazione Lemno, in Grecia. Quando si diradarono, attorno a noi era tutto buio.

Per un istante temetti che fossimo ancora intrappolati dalle ombre di Mordred, poi alzai lo sguardo e vidi il cielo immenso e limpido, in cui le stelle brillavano pallide.

Un gruppo di fenicotteri rosa prese il volo, disturbato dalla nostra presenza. La luna quasi piena illuminava di una soffice luce blu il paesaggio attorno a noi: un grande lago salato, che sorgeva in un pianoro desertico.

«Siamo nel posto giusto?» sussurrò Tyra.

Io accesi il cellulare e dopo qualche istante google map mi diede la nostra posizione esatta: lago Aliki, Lemno.

«Sì, siamo arrivati, più o meno...» risposi perplessa.

«E adesso, dove dobbiamo andare?» borbottò Rob.

«Qui attorno non vedo nessuna forgia di Efesto...»

«Siamo nella realtà, Rob! Dobbiamo cercare delle rovine, dei resti archeologici, cose così... Cosa speravi di trovare, Efesto in persona, con tanto di incudine e martello?» Lo presi in giro, ma con tutti quell'avanti e indietro tra realtà e mondo magico, non era difficile cominciare a confondere i piani...

Mentre la barca ci conduceva a riva, cercai affannosamente su internet parole a caso tipo: Efesto, rovine, sito archeologico. Dopo pochi secondi apparve il risultato che cercavo: Archailogikòs Kòros Kabeirou - Sito archeologico di Kabeiron.

Esultai: «Sì, ci siamo! A 11 chilometri circa da qui, c'è un'area archeologica antichissima, dedicata ai Kabiri, cioè i figli di Efesto. Un attimo... lì vicino c'è anche una grotta! E indovinate un po'? Si chiama *Grotta di Filottete!*»

Mentre esultavamo, scambiandoci pacche e sorrisi, la barchetta si arenò sulla riva incrostata di sale. Il rumore della chiglia sulla riva fece alzare in volo altri fenicotteri. Tyra fece appena in tempo a rimandare la barca nel mondo magico, che da dietro una bassa duna saltarono fuori due ragazzi dall'aria assonnata, armati di binocoli e macchine fotografiche.

«Li avete fatti fuggire!» protestarono. «Sono ore che aspettiamo l'alba per fotografarli in volo sullo sfondo del cielo rosa! Siete dei guastafeste, fate più rumore di un branco di elefanti!»

Hal fu prontissimo. «Scusateci, davvero! Non l'abbiamo fatto apposta. Anche noi eravamo qui per osservare i fenicotteri. Mi sono alzato per sgranchirmi e sono inciampato, accidenti! Avevo una scarpa slacciata...»

Con una faccia di bronzo degna di un consumato attore si chinò ad allacciarsi un'inesistente scarpa slacciata.

Rob colse al volo l'occasione e rincarò la dose, con l'abilità di un mentitore incallito. «Che fregatura, siamo venuti fin qui apposta in autostop per vedere i fenicotteri... E adesso ci tocca andare a piedi fino alla nostra prossima meta! Com'è che si chiamava quel sito archeologico, Angy?»

«Kabeiron!» mi precedette uno dei due ragazzi. «Ci siamo stati ieri. Non è lontano da qui. È molto suggestivo. Vi consigliamo di visitare la grotta di Filottete, là vicino, è bellissima. La leggenda racconta che l'eroe greco fece il bagno e guarì dalla sua ferita!»

«Affascinante, vero?» aggiunse l'amico. «Anzi, sapete che vi dico? Vi diamo noi un passaggio, tanto ormai i fenicotteri se ne sono andati! Se non ci si dà una mano tra noi birdwatcher...»

E fu così che, solo mezz'ora dopo, i nostri due nuovi amici ci scaricarono davanti al sito archeologico e tra pacche sulle spalle, auguri di buone vacanze e promesse di tornare a fare qualche sessione di birdwatching insieme e molti sbadigli, se ne tornarono al loro campeggio per farsi una bella dormita.

Il sito archeologico a quell'ora era deserto. Si intravedeva parte degli scavi con una specie di anfiteatro e una serie di mura basse che delimitavano antichi edifici. Ce li lasciammo subito alle spalle e seguimmo le indicazioni per raggiungere la grotta di Filottete.

Scendemmo lungo un sentierino ripido e scivoloso che ci condusse a una cavità marina, colma di acqua trasparente che alla luce magica evocata da Tyra sembrava essere di un azzurro quasi fluorescente...

«Ragazzi ci siamo... è il momento della verità!»

Entrai nell'acqua fino alla cintola, evocai Excalibur, e trattenendo il fiato vi immersi le metà spezzate della spada.

Ero talmente tesa che non mi accorsi che Rob mi si

era avvicinato da dietro e feci un salto di mezzo metro quando sporse la testa da oltre la mia spalla.

«Allora? Succede qualcosa?» mi chiese.

«Ancora nulla... magari c'è bisogno di un po' di tempo prima che faccia effetto.

«Prova a far combaciare le due metà tra loro come si fa con l'attaccatutto...»

Immergendo entrambe le mani nell'acqua, avvicinai le due metà spezzate incastrandole tra loro finché la spaccatura che le separava non fu sottile come un capello, le appoggiai sul fondo di ciottoli e trattenni il fiato...

«Allontanati subito dall'acqua.» disse una voce glaciale e purtroppo anche molto familiare.

Mi girai di scatto, sollevando una ventagliata di goccioline, e vidi Morgaine in piedi vicino alla parete rocciosa della scogliera.

Era molto diversa da come me la ricordavo: i suoi capelli un tempo corvini erano grigio argento, il suo volto pieno di rughe e macchie. Era ancora molto bella ma dimostrava almeno settant'anni.

«Come hai fatto a trovarci?» esclamò Hal.

«Ironico che sia proprio tu a chiederlo... è grazie a te se sono riuscita a seguire tutte le vostre mosse! Pensavi che non mi fossi accorta della tua visitina alla Lefay? Dal momento stesso in cui sei entrato, ti ho piazzato addosso un incantesimo tracciante che mi ha permesso non solo di seguirvi ma anche di ascoltare tutte le vostre conversazioni. Quindi so benissimo che l'unico modo per sconfiggere Mordred è che Excalibur venga riforgiata.» Ci rivolse uno sguardo trionfante e proseguì in tono di falsa condiscendenza: «Avanti ragazzi, tornatevene a casa e lasciate che sia io ad assumermi questo fardello!»

«Angy non starla neanche ad ascoltare, prendi la spada e andiamocene!»

« Non così in fretta…» disse Morgaine, con un sorriso che le incurvava l'angolo della bocca, indicando con il mento un punto alle nostre spalle.

Girandomi di scatto, vidi una fila di manichini spuntare sugli scogli che circondavano la grotta, bloccandoci ogni via di fuga. Io sapevo di non essere più in grado di combattere perché il mio braccio era quasi inutilizzabile ormai, ma tentai di reagire. «Non ti consegnerò mai la spada! È la mia eredità!» risposi decisa.

«È anche la *mia* eredità» puntualizzò gelida. «Apparteneva a mio fratello. Io sono la sua consanguinea più vicina! Il sangue Pendragon è talmente diluito nelle tue vene che è un assurdità chiamarti erede di Arthur...» gridò furiosa.

«Eppure Excalibur ha scelto me!»

«Se ci tieni così tanto a quel pezzo di metallo, te lo restituirò via posta una volta che l'avrò usato per distruggere Mordred. Ora allontanatevi dalla grotta se non volete che vi scateni contro il mio esercito.»

«Anche se ti consegnassi la spada... non riusciresti a sconfiggere Mordred: lui si trova oltre il Velo tra i due Mondi e non riusciresti ad attraversare il passaggio!»

«Non ho mai detto che sarò io ad attraversarlo, carina» rispose Morgana con un sorriso che mi ghiacciò il sangue nelle vene. In quel momento una figura familiare, si staccò dalla schiera di manichini e si fece avanti.

Era Geira.

Indossava l'elegante completo nero giacca e cravatta dei seguaci di Morgana, ma metà del suo volto era dipinta di pittura da guerra bluastra, e i suoi capelli erano raccolti in cima alla testa in un'elaborata acconciatura di treccine sottili e perline d'argento, come la sua antenata Lagertha.

«Geira!» gridò Tyra sorpresa di vederla. Poi continuò a voce più bassa, quasi tra sé: «Geira, scusami... scusaci!»

Ma Geira dovette sentirla, perché per un istante il suo sguardo perse la gelida durezza da guerriera.

«La vostra *amica* Geira è in grado di attraversare il portale» disse Morgana, sottolineando in tono ironico e crudele la parola 'amica'. «Sarà *lei* a trafiggere Mordred con Excalibur. *Lei* non esiterà davanti al nemico come hai fatto tu, Angy Pendrake. Ti sei dimostrata indegna del tuo nome e della tua eredità, sei stata una tale delusione! Nonostante fossi a un passo dall'ottenere la Pietra Nera, hai deciso di salvare degli inutili ragazzini. E adesso, per colpa tua, tutti sono in pericolo, anche quei tre poveretti che hai deciso di salvare! Ma Geira non esiterà, lei è abbastanza forte da fare la scelta difficile. Non pensi anche tu che sia meglio così? In questo modo potrete tornarvene tutti a casa e lasciare il compito di salvare il mondo a qualcuno di più… competente, cioè a me.»

L'idea di non avere quell'enorme responsabilità sulle spalle era allettante, ma sapevo che non potevo fidarmi di lei. Voleva sconfiggere Mordred, ma una volta ottenuta la Pietra Nera, Morgana l'avrebbe usata per i propri scopi.

Notai che Geira mi fissava quasi addolorata, come se le parole dure che mi aveva rivolto Morgana avessero in qualche modo ferito anche lei. Ci guardava tutti con rimpianto, come se fosse riluttante a eseguire gli ordini.

Così, invece di rispondere a Morgana, mi rivolsi direttamente a lei: «Geira, torna da noi! Non capisci che una volta ottenuta la pietra, Morgana la userà per aprire la barriera tra i due mondi? Vuole passare nel mondo magico, vendicarsi di Viviana e Merlino e avere potere su entrambi i mondi. I suoi scopi non sono diversi da quelli di Mordred!»

Geira scosse la testa: «Morgana ha ragione. Come posso sapere che davanti a Mordred non esiterai anche questa volta e non agirai d'impulso, senza riflettere sulle conseguenze? Vorrei che non fosse così ma… l'unica speranza rimasta è lei. Tutti gli Eroi Leggendari del mondo magico sono ormai caduti vittime di Mordred, o lo saranno presto. Hai visto anche tu quanto è estesa la Tempesta d'Ombra…»

«Geira, ho agito impulsivamente. Ho fatto un errore di valutazione, forse, là nella Soglia. Ma tu sai perché l'ho fatto, per salvare dei ragazzi innocenti.»

«Non so se fidarmi ancora di te…»

«E ti fidi di Morgana invece? Cosa pensi che succederà, quando le consegnerai la Pietra Nera? Pensi che Morgana vada a riportarla dove l'ha presa, in Nepal? Ti dico io cosa farà: la userà per abbattere la barriera tra il mondo magico e quello reale, questo è quello che ha sempre voluto fare! Questo è il suo scopo, per cui non ha esitato a manipolarci tutti e a usarci, sì usarci, come sta facendo adesso, con te!»

Tacqui, con il fiato corto per l'emozione e l'angoscia. Geira rimase immobile senza rispondere, era combattuta.

Morgana non attese oltre. A un suo gesto tutti i manichini partirono all'attacco.

Immediatamente Tyra estrasse la statuina di Talos dalla tasca e la gettò nell'acqua bassa della grotta. Un istante dopo, davanti a noi sorse dal mare un gigantesco soldato di bronzo. Non l'avevo mai visto così alto: era il doppio del solito, segno che Tyra era diventata molto più potente.

Talos allargò le braccia possenti e bloccò molti dei manichini, stritolandoli con un rumore raccapricciante.

Quei pochi che riuscivano a sfuggire alla sua presa si avventavano contro di me e Rob, che eravamo disarmati.

Rob non riusciva ancora a evocare l'arco di Robin, ed Excalibur era in acqua, sul fondo al caverna, dove l'avevo immersa perché venisse riparata, ma anche se l'avessi avuta in mano, non sarei riuscita a brandirla: il mio braccio era così intorpidito che non riuscivo nemmeno a sollevarlo.

Hal si gettò davanti a noi con la spada di Sigfrido in pugno e prese ad affettare manichini a destra e a manca, facendo schizzare ovunque schegge di plastica e finti arti mozzati. Per un istante pensai che potevamo farcela, poi con orrore vidi arrivare altri manichini, e altri ancora... erano talmente numerosi che in pochi istanti ricoprirono Talos come formiche su un pezzo di pane, impedendogli di muoversi.

Tyra reagì subito. Davanti ai miei occhi stupefatti alzò le mani, lentamente, e Talos crebbe, crebbe, fino a diventare più alto della scogliera, come una montagna di bronzo lucido e scintillante sotto i primi raggi del sole.

Con un impressionante rimbombo metallico, Talos mosse il braccio destro e scacciò i manichini, spazzandoli via da sé, come se fossero moscerini.

Morgana però a quel punto aveva capito che la minaccia più grande era proprio Tyra, e con un gesto quasi annoiato della mano provocò una frana dalla parete della scogliera che incombeva su di lei.

In quello stesso, preciso istante, mi resi conto che Tyra era perduta: non era più in grado di reagire e Talos era diventato troppo lento per fermare in tempo la frana.

«Tyra, no!» gridai disperata, coprendomi il viso per non vedere. Ma un istante dopo, un lampo di luce fortissima filtrò tra le dita delle mie mani e ferì i miei occhi: Geira aveva evocato lo scudo di Lagertha ed era corsa verso di lei, riparando entrambe dalla pioggia di pietre e massi.

Geira aveva fatto la sua scelta.

Nel fracasso e nella polvere provocati dalla frana persi di vista Morgana. Solo quando il polverone si abbassò mi resi conto che lei aveva approfittato della confusione per tentare di portarmi via Excalibur. Aveva infilato il braccio in acqua fino al gomito e stava sollevando l'elsa fuori dall'acqua, con un'espressione di sorpresa sul viso...

Il mio cuore fece un balzo per l'emozione: Excalibur, la mia spada, la mitica arma di Artù, era intatta. Morgana stessa ne era stupita, era un miracolo!

«Ferma!» gridai allora, pronta a tutto per riaverla. «Lascia giù la spada... e io ti darò l'ambrosia!»

Lei mi lanciò un'occhiata color palude, solo lievemente appannata dall'età e dalla stanchezza. «L'ambrosia? Vuoi farmi credere che tu ne abbia con te, adesso? Sono troppo vecchia per cadere in questi trucchetti...»

«Non è un trucco, guarda!» esclamai, estraendo la boccetta dorata dalla tasca.

Il volto di Morgana si fece di colpo teso, attento.

«Lascia la spada e io ti darò la boccetta!»

Lei scosse la testa. «Eh no. Non mi fido. Lancia la boccetta verso di me e solo allora io lascerò la spada.»

Ci pensai su per un attimo. Per afferrare la boccetta, avrebbe dovuto comunque lasciare la spada e io avrei fatto in tempo a recuperarla... mi sembrava un rischio ragionevole da correre.

Così annuii, e lanciai la boccetta. Morgana lasciò l'impugnatura della spada, che ricadde in acqua con un tonfo pesante e con sorprendente prontezza afferrò la boccetta. Senza esitare un solo secondo, la stappò, gettò la testa indietro e la vuotò in un solo sorso.

Davanti ai miei occhi il suo aspetto cambiò: la sua pelle si fece liscia e luminosa; i suoi capelli ingrigiti, tornarono a essere lucide onde corvine; la sua postura alta e fiera.

Rise di una risata piena, melodiosa, che stonava con la perfidia che sapevo risiedere nel suo cuore.

«Vi ringrazio per questo scambio, Eredi dei Leggendari... Godetevi la vostra spada. E tu, Geira, cosa vuoi fare?»

Geira, che era ancora ferma accanto Tyra, con lo scudo spianato, coperta di polvere e detriti, non le rispose: fece scomparire lo scudo e restò dove si trovava, accanto a Tyra.

Morgana scrollò le spalle e si allontanò lungo la scogliera, seguita dai suoi manichini, sia da quelli interi che da quelli distrutti, in un inquietante e comico corteo di pezzi di arti, gambe senza torso, teste rotolanti e mani disarticolate.

Immediatamente scattai verso la spada, sicura di trovare Excalibur finalmente riparata, ma quando infilai le mani nell'acqua scura, ne tirai fuori le due metà spezzate.

«Quella strega, mi ha imbrogliato!» gridai.

Rob mi mise una mano su una spalla.

«È difficile pensarlo visto quello che ci succede quotidianamente, ma a volte le leggende sono solo leggende...»

Cose da perdonare... e da perdonarci!

Dopo qualche istante, che i miei amici e io passammo a fissarci, interdetti, il silenzio venne interrotto da un rombare incessante e dalla cima della scogliera si levò un elicottero nero, che sparì nel cielo luminoso dell'alba.

Morgana ci aveva ingannati tutti, di nuovo.

Ma se noi eravamo stai ingannati, Geira era stata usata, come una semplice pedina in una partita a scacchi che può essere sacrificata senza troppi problemi.

Geira teneva gli occhi bassi, le braccia lungo i fianchi, ma un tremito di rabbia compressa la scuoteva. Non aveva il coraggio di alzare gli occhi e di guardarci.

Nessuno di noi sapeva cosa dire.

Tyra, appoggiata a una parete della roccia, tremava per lo shock e la fatica. Le lacrime scorrevano abbondanti sul suo viso bianco di polvere, tracciando dei solchi scuri sulle sue guance. Erano lacrime di sollievo e di felicità. Geira era tornata, per lei solo questo contava.

Rob era accanto a me e fissava la scena, senza sapere cosa fare e cosa dire. Cercò i miei occhi e mi lanciò uno sguardo interrogativo, come a dire: e adesso, che cosa facciamo con lei?

Io in tutta risposta alzai le spalle e sollevando spruzzi gelati nell'acqua bassa della grotta, corsi da Tyra e le misi la mia felpa sulle spalle. Era in stato di shock.

Da lì vidi Hal avanzare a grandi passi verso Geira, con le mani sui fianchi. Dalla sua espressione cupa, sembrava pronto più a una resa dei conti che ad augurarle il bentornata.

«Mi dispiace! Hal, ragazzi... Ero convinta di fare la cosa giusta, ma ho sbagliato. Mi sono lasciata ingannare. Non merito il vostro perdono, vi ho tradito e...»

Tyra finì per lei. «Geira, Morgana ha provato a ingannare tutti noi, si è servita delle nostre paure e delle nostre debolezze per dividerci, e ci è riuscita. Anche noi dobbiamo scusarci con te. Eri in un momento difficile e noi non siamo stati capaci di starti vicino. Morgana ha avuto gioco facile perché noi ti abbiamo lasciata da sola. Se hai fatto la scelta sbagliata è anche colpa nostra e personalmente non riesco proprio a perdonarmelo...» concluse con un sussurro che finì in un singhiozzo e infine in un pianto sommesso.

Geira e io ci alzammo e insieme la stringemmo in un lungo abbraccio. Tyra era sopraffatta dalla fatica e dalle emozioni.

«Ora siamo di nuovo tutti insieme. Geira è tornata. È questo quello che conta!» esclamai decisa. Mi sentivo così sollevata dall'essere finalmente riuniti che non percepivo più alcun dolore al braccio.

«Guai a te se lo rifai però, Geira, o ti prendo a calci da qui alla Svezia!» aggiunse Hal con un sorrisone a trentadue denti.

Fu l'idiozia giusta per sciogliere la tensione: avevamo ritrovato una cara amica e, con Geira dalla nostra parte, niente e nessuno ci avrebbe più fermati. Questa era la cosa più importante. Scoppiammo in una risata liberatoria che si concluse con una serie di abbracci, strette di mano e qualche lacrima.

Poi un raggio di luce dorata che entrò nella grotta ci avvertì che il sole si era alzato ed era meglio toglierci di lì.

Tyra aprì per noi il passaggio, lì dove ci trovavamo, senza neanche evocare la barca: tanto eravamo già completamente fradici. La grotta si riempì di nebbia, così fitta che non riuscivamo più a vederci tra di noi e le nostre voci si affievolirono come se fossimo avvolti nell'ovatta...

Quando la nebbia si diradò, ci ritrovammo nella grotta sotto il Castello di Avalon, quella che Tyra aveva usato per rimandare a casa i nostri compagni.

Uscimmo gocciolanti dall'acqua e ci sedemmo sul prato, immersi nella luce bianca che ancora colmava la cupola protettiva creata da Viviana, contro la quale le Ombre si infrangevano rabbiose.

Non eravamo ancora pronti per presentarci all'Alto Consiglio, soprattutto Geira.

Avevamo tante cose da dirci, punti da chiarire, cose da perdonare... e da perdonarci.

Geira fu la prima a parlare, la testa fra le mani.

«Sono stata così sciocca... ero convinta di agire per una buona causa. Credevo che Morgana volesse davvero aiutare i ragazzi prigionieri di Mordred ed ero convinta che con la sua magia ci sarebbe riuscita. All'inizio mi affidava compiti importanti, mi faceva sentire indispensabile, faceva in modo che riacquistassi fiducia in me stessa. Aveva parole e modi così convincenti... E poi l'ho vista invecchiare da un giorno all'altro, disinteressarsi completamente a me o alla sorte dei ragazzi che sono ancora prigionieri di Mordred, e così anche le mie convinzioni sono crollate. Purtroppo me ne sono resa conto troppo tardi.»

Scossi la testa. Ricordavo fin troppo bene come sapeva adulare Morgana, com'era brava a sfruttare il dolore e le debolezze delle persone per portarle dalla sua parte!

«Geira, Morgana è la regina degli inganni. Sa come ottenere quello che vuole!» le dissi con convinzione.

«Non è sufficiente questo per giustificarmi. Ho sbagliato, ma vi prometto che farò di tutto per rimediare ai miei errori, se l'Alto Consiglio me ne darà la possibilità, ovviamente. Potrebbero espellermi da Avalon e non li biasimerei per questo...» concluse con un sospiro.

Hal si alzò in piedi e disse in tono deciso, ma con gentilezza. «Coraggio, Geira. È inutile rimandare: dobbiamo riferire l'accaduto a Merlino. Sono sicura che l'Alto Consiglio saprà prendere la decisione giusta per tutti.»

Sollevai uno sguardo afflitto e soppesai il suo per un momento. Poi trovai la forza di sorriderle. «Sono proprio contenta che tu sia tornata, Geira. Vedrai, andrà tutto bene, non solo noi, ma tutta Avalon ha bisogno di te.»

«Vedremo, Angy...» rispose a testa bassa. «Io sono pronta ad assumermi le mie responsabilità» disse decisa. Questa era la Geira che ricordavo: sicura, forte, responsabile e con un grande senso della giustizia.

Ci avviammo all'interno del castello, completamente vuoto e silenzioso. Non c'era nessun altro, oltre a noi: i nostri compagni non erano stati ancora richiamati. Merlino ci accolse come tre giorni prima, con sollievo e sincera preoccupazione.

«Bentornati giovani Leggendari. Vi stavamo aspettando con trepidazione. E soprattutto, bentornata signorina Dahlstromm. Questa è casa sua, non lo scordi mai. Ora venga con me, vorrei parlarle in privato: abbiamo tanto di cui discutere. Il Consiglio si riunirà più tardi, vi manderemo a chiamare. Ora andate, avete bisogno di riposare e di rimettervi in forze. I thrall vi porteranno qualcosa per rifocillarvi.»

Poi, stupendoci tutti, prese Geira sottobraccio mentre la accompagnava verso il suo studio. Vidi la mia amica rilassare un po' le spalle: forse non l'avrebbero espulsa...

Geira restò a colloquio con Merlino per oltre un'ora, prima di raggiungerci nel dormitorio delle ragazze, dove Tyra e io ci stavamo dando una sistemata prima di fare onore al carrello pieno di cibo che avevano portato i thrall.

Sospirai pesantemente infilandomi a fatica una tunica asciutta. Il braccio era pesante come un macigno.

«Tutto bene?»

Sollevai il mento, stranita. «Eh? Oh, sì!» risposi a Tyra, che mi scrutava inquieta.

«Non è... il braccio, vero?» volle accertarsi.

Scossi energicamente la testa, anche se quell'orribile senso di intorpidimento si era esteso a parte della spalla, ormai, della mano e del collo.

Geira si avvicinò al mio cubicolo con i capelli avvolti in un asciugamano e le pantofole ai piedi. Aveva l'aria di una che era stata appena strigliata dal capo, ma i suoi occhi non erano tristi, e questo mi disse che Merlino l'aveva perdonata per il suo tradimento, proprio come avevamo fatto noi.»

«Che cosa ti succede Angy? Sei pallidissima...» mi chiese Geira. «Qualcosa non va, vero?»

Annuii, poi la misi al corrente di tutto, fin dal principio: l'ombra che mi aveva sfiorato, i ripetuti attacchi, il fatto che senza volere insieme ai ragazzi che avevo salvato avevo condotto ad Avalon anche le Ombre...

«È come se fossimo marchiati, e finché non sconfiggeremo Mordred con Excalibur di nuovo integra e originale, le ombre ci seguiranno ovunque...» conclusi.

Mentre parlavo, vedevo Geira incupirsi sempre più. Quando terminai, lei restò un momento a guardarmi. Poi si alzò, risoluta, e disse: «Molte di queste cose le sapevo. L'incantesimo di tracciamento che Morgana aveva agganciato ad Halil le permetteva di ascoltare i vostri discorsi. Ma naturalmente lei ha evitato di riferirmi che eri stata toccata dall'Ombra e che eri in pericolo... perché non avessi ripensamenti. Io sono l'erede di Lagertha, la portatrice dello scudo: il mio compito è proteggere! Anche stando con Morgana, questo era il mio vero intento, pensavo, sbagliando, di proteggervi, anche da voi stessi... Ora non permetterò più a niente e a nessuno di farvi del male. Dobbiamo trovare una soluzione a tutto questo. Andiamo da Merlino!»

Anticipammo di poco la convocazione: quando giungemmo nel cortile del Grande Melo, il consiglio era già schierato e Rob e Hal erano già lì.

Parsifal ci indicò i posti vuoti al tavolo. Mancava Galahad, ma era con Viviana, che manteneva attiva la barriera contro la Tempesta d'Ombra.

«Il signor Siegfriedson, che ho personalmente ripulito

da ogni incantesimo di tracciamento, ci stava ragguagliando su quanto è avvenuto a Lemno» ci informò Merlino, il volto teso e le mani intrecciate sul tavolo.

«Abbiamo sentito anche la versione di madamigella Dahlstrom poco fa, quindi direi che possiamo passare al dettaglio dell'ambrosia» fece Parsifal con la sua voce profonda ma gentile.

«Non c'è molto da dire, in realtà...» intervenni, stringendomi nelle spalle. «Circe ce ne aveva fatto dono per ottenere qualcosa da Morgana, ma mi sono lasciata ingannare: gliel'ho consegnata per avere indietro Excalibur...»

«Da quando ha capito che l'unica arma in grado di sconfiggere Mordred è Excalibur, Morgana ha fatto di tutto per impossessarsene. In teoria anche lei potrebbe brandirla, è la sorella di Artù, ha il suo stesso sangue...»

A quel punto fece una pausa velata d'imbarazzo e abbassò gli occhi sul tavolo. «Sapeva che la spada doveva essere integra, ma non aveva idea di come fare per ripararla» proseguì Geira. «Servendosi di me era venuta a conoscenza di quanto Weland ha rivelato ai miei compagni, così aveva deciso di attaccarli a Lemno, dato che in quel momento sarebbero stati più vulnerabili.»

A un tratto mi venne in mente una cosa, un dettaglio

che mi sfuggiva. «Un momento... c'è una cosa che non capisco. Geira, come hai fatto ad aprire un passaggio per Thule?»

Geira piegò la testa di lato. «I passaggi aperti da Tyra sono diversi da quelli di Viviana... non sono ancora perfetti. È come se restasse sempre uno spiraglio aperto... Così io riuscivo a saltare dentro e fuori un attimo dopo di voi.»

Alla luce di quella rivelazione, Tyra e io ci scambiammo occhiate preoccupate.

Merlino si tormentava la punta di un baffo, visibilmente preoccupato. «Madamigella Pendrake, madamigella Hope, voi siete un'innegabile risorsa per il gruppo, un'incantatrice talentuosa e l'unica Leggendaria che può sconfiggere Mordred, ma allo stesso tempo siete l'anello debole della catena. Avremmo dovuto stare molto più attenti, abbiamo preteso troppo da voi...»

«Già, e per di più Excalibur è ancora spezzata...» conclusi con una smorfia di disappunto. «E a quanto pare non può essere riparata. Altro che innegabile risorsa! Direi un totale fallimento!»

Merlino risollevò la testa e puntò i suoi occhi color del cielo nei miei. «Signorina Pendrake, non sia così dura con sé stessa. Tutti hanno punti deboli, l'importante è saperli trasformare in risorse... A proposito, di punti deboli e punti di forza... madamigella Hope, se ben ricordo, Circe le ha rivelato qualcosa sulla sua isola... qualcosa di misterioso riguardo al tempo. O mi sbaglio?»

«Mi disse... "Alcune cose non possono essere evitate, e solo svolgendo e riavvolgendo dalle origini il filo del tempo è possibile mutare l'intreccio della storia" rispose Tyra.»

Merlino rimase in silenzio, a occhi socchiusi, poi all'improvviso diede una manata sul tavolo che ci fece trasalire tutti quanti.

«Ma certo! Come ho fatto a non pensarci prima?!» borbottò tra sé «Certo, considerando tutto il trambusto che abbiamo avuto qui e le ore di sonno che mi sono perso, per non parlare del problema dei passaggi che non potevano essere aperti... anche se poi la signorina Hope, per fortuna...»

«Saggio Myrddin?» lo richiamò Parsifal.

Merlino ci guardò con intensità. «Quella di Circe era una profezia.»

Sei paia di occhi, compresi quelli di Parsifal, lo fissarono straniti.

«Circe stava parlando delle Parche, ovviamente. È chiaro ormai che Excalibur non può essere riparata, quindi l'unico modo per riaverla intera è impedire che si spezzi. Dovrete raggiungere le Parche e convincerle a riportarvi indietro nel tempo. Solo così potremo evitare la fine dei due mondi. E dovrete fare in fretta, la Luna Rossa sta per sorgere!»

Smise un momento di parlare, assicurandosi che avessimo capito. Poi sospirò e il suo viso assunse un'espressione più grave. «Purtroppo c'è un solo modo per raggiungere le Parche, e credo che non vi piacerà... seguitemi!»

La via per l'Oltretomba

P oco dopo, ci trovavamo nella cripta di Avalon, un luogo umido e piuttosto tetro, illuminato da torce e sorretto da massicce colonne di pietra, ornate da capitelli decorati con mostri e figure inquietanti.

Attorno alle pareti di marmo bianco erano disposte in circolo una serie di sculture: dame velate, eroi addormentati, ninfe dall'aria malinconica. Numerose lapidi con bassorilievi ed epigrafi erano murate lungo le pareti e sull'antico pavimento di pietra, consumato dal tempo e reso lucido dai passi di chi aveva visitato prima di noi quel luogo.

«Ma questo... è un cimitero!» sussurrai a Rob vicino a me, ma la mia voce rimbombò, rimbalzando sulle pareti.

«Ha colto esattamente il punto, madamigella Pendrake!» disse Merlino. Poi alzò una mano e ne fece scaturire un globo di luce che si sollevò fino alla volta, illuminandola quasi a giorno.

«Così va molto meglio!» esclamò soddisfatto. «Dunque, come giustamente notava la vostra compagna questo è il luogo dove riposano coloro che abitavano ad Avalon, prima che fosse trasportata nell'Oceano magico. E lì sarà deposto Artù, quando sarà il momento...» disse indicandoci la statua di un cavaliere in armatura. Teneva in mano una spada che riconobbi immediatamente come una fedele riproduzione di Exaclibur. «Perché ci troviamo qui? Beh, c'è un unico modo per arrivare davanti alle Parche, cioè essere morti...»

«Cosa? Ha intenzione di ucciderci?» esclamai, arretrando istintivamente. «Non scherziamo! Ragazzi, andiamocene subito da qui!»

«Fermi, fermi! Non fraintendetemi! Non ho nessuna intenzione di provocare una vostra precoce dipartita... Cercherò di ingannare le Parche con un filtro che simuli la vostra morte. I vostri corpi resteranno qui, in uno stato di morte apparente, ma le vostre anime viaggeranno nell'Oltretomba e raggiungeranno le Parche. Loro si accorgeranno che siete vivi e vi rimanderanno indietro. Vi sveglierete non appena finirà l'effetto del filtro.»

«Un attimo, un attimo... mi pare che ci siano dei precedenti! Con Giulietta e Romeo questa cosa della finta morte non aveva funzionato molto mi pare...»

Lui sollevò le spalle. «Nel loro caso è stata tutta una questione di tempismo sbagliato. Io sarò qui e veglierò su di voi insieme a Parsifal e Galahad. Non potrà accadere nulla ai vostri corpi addormentati.»

Tyra disse: «Ammesso che accettiamo, cosa troveremo dall'altra parte? Cosa dobbiamo aspettarci?»

«L'Ade, con i suoi cinque fiumi, Stige, Cocito, Acheronte, Flegetonte e Lete. E il lago dell'Averno, naturalmente. Ci sono stato qualche centinaia di anni fa, per cercare Artù. Non è un bel posto, e soprattutto non è adatto a chi viaggia con il fardello del proprio corpo. È proprio per evitarvi di affrontare Cerbero, attraversare l'Acheronte chiedendo un passaggio a quel burbero di Caronte e respirare quell'aria venefica, che ho pensato di mandarvi direttamente dalle Parche con la pozione della Finta Morte..» ammise Merlino. «Se vi perdeste e aveste necessità di orientarvi, troverete tutti i dettagli sulla mappa magica che vi ho dato prima della vostra partenza per Weland.»

Ci consultammo rapidamente tra di noi, e poiché era chiaro che non c'era altra scelta, accettammo di bere un sorso dalla fiala amara che Merlino ci porgeva.

Sdraiati nella cripta, su letti di marmo gelido, attendemmo che la pozione facesse effetto e scivolammo lentamente in un sonno pesantissimo, simile alla morte...

Ebbi letteralmente l'impressione di sprofondare attraverso la terra, poi in una cortina di fiamme, in un vortice di vento turbinante e mentre cadevo vedevo delle immagini simili a sogni: ero io, ma non ero io. Il mio sguardo era malvagio, di un verde gelido come quello di Morgana. Sorseggiavo un liquido dorato e osservavo con indifferenza la devastazione e le morti che io stessa avevo provocato. Gridai per l'orrore di quella visione, e ne fui liberata.

Caddi ancora, come un sasso nell'acqua calma di un lago, e mi svegliai. Ero sdraiata sui ciottoli verdastri e maleodoranti in riva a un fiume, immersa in un atmosfera cupa e desolata, e accanto a me c'erano i miei amici.

«Che incubo!» esclamai, sfregandomi gli occhi, come per scacciare quelle orribili immagini.

«Non me lo dire! Ero completamente coperta di sangue... e non era il mio!» disse Geira cupa. «Erano anni che non facevo più questo sogno orribile...»

Hal e Tyra avevano gli occhi pieni di lacrime e non osai chiedere cosa li avesse turbati così profondamente.

Rob invece ci confessò che si era ritrovato circondato da centinaia di persone che ridevano di lui...

Eravamo arrivati nell'Ade, ciascuno di noi in compagnia dei suoi peggiori incubi. Capii che se ci fossimo fermati troppo a lungo, avremmo perso la ragione.

Aprii la mappa magica per cercare di capire dove andare quando una voce acuta e gracchiante come gesso su una lavagna risuonò tra la nebbia.

«Voi... non siete morti!» constatò.

Un istante dopo tre figure vestite di lacere tuniche bianche si avvicinarono, annusandoci rumorosamente.

«No, no, no! Non sono morti!» disse una seconda.

«Ma non sono neanche vivi...» precisò la terza.

«Allora, devono essere loro, gli eroi che stavamo aspettando...» aggiunse la prima. «Il mio nome è Atropo l'Inesorabile, e loro sono le mie sorelle: Cloto la Filatrice, e Lachesi il Destino. Sappiamo perché siete qui: avete bisogno di riavvolgere il filo del tempo della vita di un uomo. Ebbene vi aiuteremo, perché da lui dipende il destino di entrambi i mondi, il nostro e il vostro.

Cloto mi tese una spoletta di filo, luminoso come oro

fuso ed evanescente come un raggio di sole che attraversi la nebbia.

«Ecco, prendila, qui è avvolta la vita di Arthur Pendragon. Anche lui non è né morto, né vivo: la sua vita attende da tempo di essere recisa. Mia sorella Atropo non ha potuto ancora donargli il riposo che merita, ma è breve il filo che resta! Avete pochissimo tempo, poi, non solo la sua vita, ma quella di tutti gli uomini, nel mondo reale e in quello magico, terminerà per la malvagità di uno solo. Il suo nome è Mordred. Dovete fermarlo.»

Atropo aggiunse: «Dovrete riavvolgere il filo di Kronos, il tempo. Ma è necessario che vi troviate nel posto giusto e lo srotoliate esattamente quanto basta, non di più e non di meno. Solo così potrete cogliere il kaipòs, l'attimo, l'occasione... e il momento in cui venne fatta la scelta sbagliata. Agite subito, o la mia forbice dovrà presto recidere molte vite, comprese le vostre.

Nello stesso istante in cui presi in mano la spoletta dorata, le Parche svanirono e noi fummo di nuovo risucchiati in quell'abisso spaventoso da cui eravamo arrivati.

Un attimo dopo, con un respiro improvviso e doloroso, che mi attraversò il petto come una coltellata, mi ritrovai nella cripta di Avalon. Eravamo tornati, eravamo vivi.

Cogliere l'attimo

Merlino si precipitò verso di me, dandomi affettuosi colpetti sulla schiena.

«Bentornata fra i vivi, madamigella Pendrake! Coraggio, respiri a fondo... brava, così. Fa un po' male, lo so, ma passerà presto! Lei è stata l'ultima a svegliarsi... devo ammettere che mi ha fatto preoccupare. I suoi amici sono già stati condotti nelle loro stanze e stanno riposando. Prima di andare, mi dica solo una cosa: avete trovato quello che cercavate?»

Io infilai la mano nella tasca della felpa e ne tirai fuori la spoletta delle Parche. Era calda nella mia mano e luminosa come brace accesa.

Merlino annuì, gli occhi pieni di meraviglia. «Molto

molto bene, giovane Guardiana. Ora riposi, vi aspetto tutti nel mio studio, quando vi sarete ripresi!»

Sfinita, chiusi gli occhi e mi lasciai cadere all'indietro. Nel dormiveglia mi parve che Merlino mi accarezzasse i capelli, come un nonno affettuoso. Poi mi resi conto a malapena che qualcuno, forse un thrall, mi sollevava con cautela, mi portava in braccio e mi depositava sul mio letto, rimboccandomi le coperte.

Ci vollero un giorno e una notte, prima che fossimo in grado di connettere qualcosa e altri due prima che potessimo bere qualche sorso d'acqua e mangiare semolino, imboccati come bambini...

Ricordo vagamente che passai quel tempo in dormiveglia, tra sogni angosciosi in cui ero inseguita dalle ombre e il mio corpo, pesante come marmo, non poteva muoversi. Ero assistita da un thrall premuroso, che mi faceva spugnature fredde e mi teneva la fronte quando in preda alla nausea, vomitavo anche l'anima.

Solo all'alba del terzo giorno fui in grado di alzarmi.

Mi sentivo rinata, e avevo una fame da lupo.

Un po' barcollante, mi diressi verso la sala da pranzo dove finalmente ritrovai i miei amici. Erano pallidi, con le occhiaie e decisamente dimagriti.

«Ragazzi, sembrate degli zombie!» esclamai addentando una frittella di mele.

«Beh, anche tu non scherzi, Angy...» ridacchiò Rob. «Assomigli a una delle ombre di Mordred!»

Non risposi neanche, ma gli tirai una pacca sul coppino che gli fece andare per traverso la torta.

Stava per iniziare un'altra selvaggia battaglia a base di molliche di pane e lanci di mele, ma una serie di imbarazzati colpi di tosse la interruppero sul nascere, richiamandoci all'ordine.

Era Parsifal che ci convocava nello studio di Merlino.

Dopo aver ascoltato il nostro resoconto sull'incontro con le Parche, Merlino rimase in silenzio accarezzandosi la lunga barba candida.

Poi concluse, intrecciando le mani sul tavolo di mogano scuro davanti a lui: «Sono desolato, giovani Guardiani della Soglia. So che vi ho chiesto molto e che siete ancora provati dal vostro ehm... viaggio, nell'Oltretomba, ma da quanto mi avete riferito, la spoletta di Kronos vi permetterà sì di tornare indietro nel tempo, ma non di muovervi nello spazio. Dovrete tornare a Camlann al più presto, srotolare il filo di Kronos e tornare al tempo della battaglia di Camlann. Una volta lì, dovrete trovare il modo di impedire a re Artù di spezzare Excalibur. In questo modo, Mordred non diventerà uno stregone malvagio e noi non dovremo recuperare alcuna Pietra Nera dalle sue grinfie.»

Fece una lunga pausa, guardandoci negli occhi uno a uno poi aggiunse con un tono solenne e addolorato nello stesso tempo: «Miei giovani eroi, purtroppo avrete una sola possibilità di agire. Questa notte sulla Terra sorgerà la Luna Rossa...»

Le sue ultime parole caddero nel silenzio assoluto del suo studio, pesanti come macigni. Come era possibile? Nella confusione degli ultimi giorni, occupati a riprenderci dal nostro viaggio nell'Oltretomba, avevamo perso il senso del tempo? Eppure ero convinta che ne avessimo ancora...

Come se avesse letto nei miei pensieri, Merlino disse: «Purtroppo, madamigella Pendrake, passando troppe volte avanti e indietro dai portali, lo scorrere regolare del tempo si è alterato. Esattamente come è accaduto la prima volta a Eea, quando eravate usciti e rientrati in modo sconsiderato, per ehm... prendervi un gelato!»

Mi ricordavo, eccome! Tornando a New York mi ero ritrovata nel lago di Central Park a mezzogiorno ed ero finita nei guai fino al collo...

Non c'era un istante da perdere!

Mezz'ora dopo, giusto il tempo di prepararci, Tyra aprì per noi il passaggio, che ci condusse al lago poco distante da Camlann. Mentre la nebbia mi avvolgeva ripensai all'ultima volta che eravamo passati di lì per tornare ad Avalon dopo l'inganno teso da Morgana e il tradimento di Geira...

Sollevai lo sguardo e per un istante i miei occhi incrociarono i suoi. Non ci fu bisogno di parole. Le sorrisi, grata che fosse tornata.

Quando le nebbie sul lago si diradarono, ci rendemmo conto che il sole era già tramontato. Un po' a piedi, un po' in autostop, arrivammo alla piana di Camlann che era notte fonda e la luna stava per sorgere.

Il grande spiazzo erboso dove anticamente si era svolta la battaglia appariva silenzioso e spettrale, immerso in un'atmosfera sospesa e solenne, di attesa.

Proprio come prima di una tempesta... pensai stringendomi nella felpa per un brivido improvviso.

Non c'era nessuno intorno e Tyra ci guidò decisa verso un punto al centro della spianata.

«Ci siamo, il portale è proprio qui...» mormorò stendendo una mano davanti a sé. «Tenetevi pronti!»

Mentre Tyra alzava al cielo entrambe le braccia per tentare di aprire il portale, io sprofondai in un vortice di pensieri neri e paure, che non osavo confessare neanche a me stessa.

Che cosa accadrà alla mia ombra, una volta passata la Soglia? Diventerà più forte? Mi sconfiggerà? Diventerò anche io un burattino agli ordini di Mordred?

Mi riscossi solo quando mi resi conto che qualcosa non andava. Tyra ci stava mettendo troppo tempo...

Alzai gli occhi verso di lei. La sua fronte era imperlata di sudore e le braccia le tremavano visibilmente. Era evidente che l'incantesimo le stava richiedendo uno sforzo enorme. Era ormai al limite delle forze, quando una specie di frattura scura si disegnò nell'aria davanti a lei.

Tyra ci infilò le mani, tentando di allargare quello spiraglio scuro, senza risultato. Gridò per lo sforzo e la frustrazione e io mi avvicinai per sostenerla. All'improvviso lo spiraglio si aprì, come se volesse spalancarsi per lasciarmi entrare.

«Ora!» gridò Tyra.

Al suo comando ci tuffammo tutti nel portale e un secondo dopo ci ritrovammo in un mare calmo, lucido come uno specchio, che a tratti mutava nel paesaggio cupo della battaglia di Camlann. Seminascoste dal fango scorsi armi abbandonate, lance piantate nel terreno, scudi spezzati e armature vuote e più in là, oltre una robusta palizzata, l'accampamento di Mordred.

Nulla era cambiato dalla prima volta e come allora fui percorsa da un brivido di inquietudine: sdraiati a terra, come pupazzi senza vita, c'erano i Leggendari che Mordred aveva catturato, che ci fissavano senza vederci, con sguardi vuoti e allo stesso tempo disperati.

Avrei dato qualunque cosa per poterli portare subito via da lì, ma l'unica possibilità di salvarli davvero era riavvolgere il tempo e impedire che Excalibur venisse spezzata. Come se avesse capito i miei pensieri, Geira mi venne accanto e mi strinse un braccio.

«Li salveremo, Angy. Lo faremo insieme.»

Ingoiai rabbia e sofferenza, distolsi lo sguardo a fatica e ripresi a muovermi verso il centro dell'accampamento, dove si trovava la tenda di Mordred.

Più mi avvicinavo, però, più sentivo crescere una strana e innaturale stanchezza. Il dolore al braccio si faceva sempre più forte e il mio corpo diventava più pesante a ogni passo. Strinsi i denti e mi sforzai di andare avanti, per non far preoccupare i miei amici.

Nessuno faceva caso a noi, né i ragazzi, né le ombre, come se fossimo trasparenti.

«Credo...» mormorai «...che la mia ombra funzioni da lasciapassare. È come se questo posto mi avesse riconosciuta e mi avesse lasciato entrare, come se io fossi già una di loro.»

Rabbrividii per l'orrore e Hal mi mise una mano sulla spalla. «Beh, questo può tornare a nostro vantaggio...» disse, pragmatico come sempre. «Vorrà dire che forse questa volta non dovremo combattere!»

Io mi sforzai di sorridere. «Hai ragione!» dissi cercando di assumere un tono baldanzoso, ma una fitta alla spalla mi tolse il respiro.

Mi fermai, piegata in due per il dolore.

Rob era accanto a me e si chinò per aiutarmi. «Angy, stai bene?» mi domandò a voce bassa.

Feci sì con la testa, ma non riuscivo a raddrizzarmi. Mi sentivo debole e stordita, come se avessi avuto la febbre, la spalla e il braccio erano come paralizzati e facevo fatica a mettere insieme i pensieri. In quell'istante realizzai che non sarei stata in grado di andare avanti, né di combattere.

«No, non stai bene!» decretò Rob, e mi passò un braccio dietro la schiena per sorreggermi e aiutarmi a camminare. «La mia ombra... qui è molto più potente» ammisi in un sussurro. «Temo che presto non riuscirò più a oppormi al suo influsso. Mi sto trasformando, Rob! Diventerò come uno di loro...». Tremavo per la paura e lo sforzo di reagire. Ormai non aveva più senso cercare di nasconderlo, tantomeno a Rob che mi conosceva meglio di chiunque altro.

«Torniamo indietro.» dichiarò risoluto.

«No! Dobbiamo andare avanti, non abbiamo scelta. Datemi una mano...»

Respirai a fondo qualche istante, il dolore si attutì quanto bastò per riuscire a riprendere il cammino, con lo sguardo annebbiato, mentre Rob e Hal praticamente mi trascinavano di peso.

Per fortuna Geira, in testa al gruppo, dopo pochi minuti si fermò. «Ragazzi, ci siamo.» annunciò in un bisbiglio.

La luna ormai alta nel cielo illuminava un grande padiglione, decorato da drappi rossi stinti e stracciati e protetto da una palizzata metallica formata da centinaia di spade piantate nel terreno. Era la tenda di Mordred e come nella nostra precedente incursione, era sorvegliata da Lancillotto in persona: non fu difficile riconoscerlo, per la stazza imponente e l'armatura con le insegne del cigno.

Ci tuffammo appena in tempo dietro una catasta di scudi e di pezzi di armature abbandonate.

«D'accordo, è il momento!» disse Hal. «Tenetevi pronti. Angy, tocca a te. Fai presto, non c'è più tempo!»

Alzai gli occhi. La luna si stava tingendo di rosso. L'eclisse era cominciata. Con il cuore che batteva all'impazzata, tirai fuori la spoletta dorata che ci avevano dato le Parche e ne srotolai piano un pezzetto. Tyra era accanto a me e mi stringeva con forza una spalla.

Con gli occhi chiusi e i nervi tesi, ero pronta a essere catapultata da un istante all'altro nel fragore e nelle urla della battaglia di Camlann... ma non accadde nulla.

«Provo io...» disse Tyra, srotolando un altro pezzo di filo. Ancora una volta, però, non cambiò niente.

«Quelle tre megere ci hanno rifilato una patacca!» protestò Rob. «Fra poco ci sarà la Luna di Sangue: non abbiamo più tempo per...»

Io lo interruppi, quasi urlando: «Il tempo! Come abbiamo fatto a non pensarci? Qui siamo nella Soglia, oltre il Velo tra i due Mondi, quindi... non c'è il tempo!»

Hal si batté una mano sulla fronte. «Diamine, è vero.»

«Allora non c'è altro da fare...» intervenne Geira, in tono pragmatico «... che uscire dal portale, tornare nel mondo reale e riprovare!»

«Ehi, guardate là...» la interruppe Rob, allarmato.

«Quello, deve essere Mordred...» mormorai, mentre un brivido ghiacciato mi percorreva la spina dorsale.

Aveva un aspetto vagamente umano e lineamenti indistinti e deformi, oscuri come la notte. Sembrava una creatura assemblata per sbaglio: indossava ancora la sua armatura, intrisa di sangue, fango e fuliggine da secoli, così che le giunture erano saldate tra loro dalle incrostazioni e gli conferivano un'andatura scomposta, a scatti.

Dal centro del petto, nel punto esatto in cui Artù lo aveva trafitto, fuoriusciva un'ombra. Pareva un cancro velenoso, un fungo putrescente che pulsava a ogni respiro dello stregone.

Quella vista mi pietrificò.

Ci misi qualche istante a capire ciò che stavo realmente guardando: il fungo putrescente non era altro che l'ombra di Excalibur, che trapassava il cuore di Mordred e si allungava oltre la sua schiena.

Era l'ombra della spada di Artù, della mia spada!

Mordred avanzava piano, stringendo un panno tra le mani. Ne sciolse lentamente i lembi e lo lasciò cadere a terra, rivelando una grossa pietra che emanava un'intensa luce violacea. La Pietra Nera.

Lo stregone sollevò la pietra verso la luna, ormai alta in cielo, che lentamente si stava colorando di rosso.

Mancavano pochi minuti alla Luna di Sangue.

Non facemmo in tempo a saltare fuori dal nostro nascondiglio improvvisato, che di nuovo mi piegai sulle ginocchia in preda a una fitta atroce.

Non riuscivo più a muovermi. L'ombra dentro di me stava prendendo il sopravvento.

«Angy!» gridò Rob, sostenendomi mentre cadevo a terra. Come se fossi fuori da me stessa, osservai il suo volto teso e angosciato, i suoi occhi pieni di lacrime. Lo vidi stringermi le spalle, scuotermi disperato, ma io ormai non sentivo più nulla.

Sapevo soltanto, come in una specie di sogno, che dovevo lottare... contro chi, tuttavia, non lo ricordavo più.

Poi, mentre la mia coscienza sfumava, vidi Rob alzarsi lentamente oltre il cumulo di armature e piantare i piedi nel fango, saldo e risoluto come non mai.

Ruotò il busto, tese il braccio sinistro e un istante dopo, con un lampo di luce, nella sua mano apparve un arco e, dietro la schiena, una faretra colma di frecce impennate di bianco. Con un movimento fluido e vigoroso, Rob incoccò una freccia, tese l'arco, prese la mira e rilasciò.

La freccia, potente e tesa, oltrepassò sibilando la palizzata di spade e la schiera di ombre e colpì la Pietra Nera, che schizzò via dalle mani dello stregone e rotolò lontano.

Mordred, sorpreso, si guardò attorno senza capire.

Nell'istante in cui la Pietra non fu più tra le sue mani, l'influsso dell'ombra su di me si affievolì e io riuscii a rientrare in me stessa e ad alzarmi faticosamente in piedi. D'istinto gettai le braccia al collo di Rob. «Ce l'hai fatta!» gridai con la voce incrinata dall'emozione. «Ce l'hai fatta, hai evocato l'arco di Robin!»

Rob sembrava il più sorpreso di tutti. Guardava me, poi l'arco, poi di nuovo me come a chiedermi cosa fosse successo. Fu Geira a riportarci bruscamente alla realtà.

«Seguitemi! Dobbiamo sbrigarci!» gridò, lanciandosi verso il luogo dove era caduta la Pietra.

Approfittando dello sconcerto di Mordred e dei suoi seguaci, Geira scattò avanti, rotolò a terra, recuperò la Pietra Nera, la infilò nello zaino e si precipitò verso il portale.

Hal mi caricò in spalla come se non avessi peso e si mise a correre come un forsennato dietro di lei, con Gramr in pugno, mentre Tyra e Rob ci seguivano a pochi passi di distanza, voltandosi continuamente indietro, pronti a combattere.

Nonostante la situazione non fosse affatto rosea, mi sentivo quasi felice: per una volta tanto qualcosa era andato nel verso giusto. Non eravamo ancora riusciti a riavvolgere il tempo, né a salvare gli altri ragazzi, ma avevamo la Pietra Nera! Questo ci dava un enorme vantaggio, avevamo quasi la vittoria in pugno...

Mentre pensavo queste cose, vidi Geira scomparire nel portale. Un istante dopo, Hal con me sulle spalle, si tuffò dietro di lei nel varco, io fui avvolta da una luce accecante e avvertii un forte mal di testa.

Quando il dolore cessò e la luce si affievolì, vidi qualcosa che non mi sarei mai aspettata...

Davanti a noi c'era Geira. In ginocchio.

Miller e Amelie la sorvegliavano, con uno sguardo gelido e indifferente, come se non la conoscessero, come se non fossimo stati alleati, solo poche settimane prima.

Geira era legata mani e piedi da una fune che pareva fatta di fuoco, e Morgana troneggiava su di lei, furiosa e terribile a vedersi.

Grazie all'ambrosia che io ingenuamente le avevo consegnato in cambio di Excalibur, era tornata giovane e senza età. I capelli neri come l'ebano le fluttuavano attorno, mossi da un vento inesistente e i suoi occhi verde veleno risplendevano di una luce crudele.

«Grazie, Leggendari. Siete stati molto efficienti, davvero. Io stessa non avrei saputo fare meglio!» esclamò battendo piano le mani. Sulle sue labbra era dipinto un sorriso di scherno.

«Gra... grazie?» balbettai senza capire.

Allora Morgana schioccò le dita e in meno di un battito di ciglia ci disarmò.

Quattro manichini si disposero attorno a noi, minacciosi, mentre Miller aprì lo zaino di Geira, recuperò la Pietra Nera e la passò a Morgana, con un lieve inchino.

«Grazie... sì, grazie!» ripeté, stringendo la pietra nella mano destra. «Soprattutto devo ringraziare te, Geira. Anche se sei una traditrice e te ne sei andata, mi sei stata comunque molto utile. Chi sceglie di seguirmi porta il mio marchio per sempre, non lo sapevi? È solo questo il motivo per cui ti ho lasciato andare senza ucciderti subito: mi servivi per rintracciare i tuoi amichetti. Adesso, però, ho avuto quello che volevo, non mi servi più...» aggiunse quasi annoiata, rimirando la Pietra Nera.

Geira fece uno scatto, tentando di divincolarsi, come se volesse assalirla, ma Morgana con un gesto noncurante della mano strinse le funi infuocate, che le penetrarono nella carne. Geira urlò di dolore.

«Lasciala andare, vigliacca!» gridò Tyra, ma lo schiaffo violento di un manichino la zittì.

Amelie la strattonò. «Taci, sciocca, o farai anche tu una brutta fine!»

«Maledetta strega!» grugnì Hal.

«Sei molto peggio di Mordred!» urlò Rob furioso.

«Razza di vipera!» sputò Geira, strattonando le funi roventi. Poi si rivolse a me: «Angy, non pensare a me! Fai ciò che devi...» riuscì a dire prima di perdere conoscenza.

Mentre noi urlavamo, impotenti, di rabbia, Morgana sollevò un braccio verso il cielo e la Pietra Nera si stagliò scura sulla luna color del sangue, mentre l'esercito di manichini si inginocchiava nella pianura, prostrandosi davanti a lei, come un'impressionante marea nera.

Con orrore mi resi conto delle sue intenzioni: Morgana stava per pronunciare la formula che le avrebbe permesso di assorbire il potere di tutti gli incantatori del mondo.

Capii che cosa voleva dirmi Geira. Sapevo cosa fare.

Eravamo nel posto giusto, avevo un'ultima occasione. Dovevo cogliere l'attimo, il kaipòs.

Così, nel momento esatto in cui Morgana iniziava a pronunciare l'incantesimo, infilai la mano nella tasca della felpa, presi la spoletta e srotolai un pezzo di filo... Morgana, abbassò gli occhi su di me: aveva capito quello che stavo per fare, ma era troppo tardi. Un istante dopo non la vidi più.

Mi chiamo Morgaine

Venni scaraventata con una violenza inaudita fuori da me stessa, come se fossi stata investita da un tornado che mi trascinava indietro, schiacciandomi con una pressione insopportabile. Mi si bloccò il respiro e probabilmente persi conoscenza, finché precipitai di nuovo nel mio corpo e aprii gli occhi di colpo, in preda ai conati.

Appena mi fui ripresa, mi guardai attorno sbalordita. Morgana, Miller, Amelie, l'esercito di manichini... non c'erano più, erano scomparsi.

Il cielo era terso e limpido e la piana di Camlann era verdissima, e circondata da una foresta di alberi dai tronchi enormi, che parevano millenari.

Bastò questo e il silenzio irreale che ci circondava, in cui riuscivo quasi a sentire il sussurrò del vento sull'erba, a farmi capire che ce l'avevo fatta: eravamo andati indietro nel tempo. Ma... *quanto* indietro?
Accanto a me c'era Geira, un po' frastornata, ma sana e salva. «Come stai? Come ti senti? Tutto a posto?» dissi tutto in un fiato, soffocandola in un abbraccio a cui un istante dopo si unirono Tyra e i ragazzi.
«Ehm...» mormorò poi Rob grattandosi la punta del naso non appena liberammo Geira da quell'abbraccio collettivo. «Come state? Io ho appena vomitato l'anima...»

«Non me ne parlare!» rispose Hal, corrucciato. «È stato un incubo! Spero proprio di non doverlo rifare, ragazzi!»

«Beh, io non mi lamento!» sorrise Geira, pallidissima. «Perlomeno non ho più dei lacci infuocati attorno ai polsi e, a quanto pare, non sto più per morire...»

«Ragazzi, giuro che non vorrei dover srotolare mai più il filo, se non per tornare indietro... ma come facciamo a essere sicuri che siamo finiti nel tempo giusto? Dobbiamo cercare qualcosa o qualcuno che ci dica in che anno siamo!»

«Buona idea, ma qui siamo nel mezzo del nulla, circondati da un bosco millenario e probabilmente infestato da lupi e briganti!» esclamò Rob, con una smorfia.

Mi guardai attorno. Quella foresta che tanto inquietava Rob, in qualche modo a me sembrava rassicurante, quasi familiare, e di certo non era più pericolosa della metropolitana di New York durante la notte. In lontananza vidi una zona in cui il bosco si faceva più rado.

«Andiamo da quella parte!» suggerii. Dentro di me ero sicura che avremmo trovato un sentiero, laggiù.»

Così ci incamminammo, cercando di non fare troppo rumore e in effetti incontrammo davvero un sentiero, là dove avevo immaginato che ci fosse, e mi chiesi se non fosse un mio ricordo del passato.

Era di terra battuta e si inoltrava in un bosco di faggi giganteschi, dai tronchi alti come colonne di una cattedrale. I rami si intrecciavano sopra di noi, creando una volta ombrosa e accogliente. Il sentiero, coperto da un tappeto di foglie e morbido muschio, proseguiva tagliando la foresta in linea retta. Non c'era modo di scoprire dove conducesse, così iniziammo a camminare, in silenzio.

«Occhi e orecchie aperti, ragazzi. Non si sa mai...»

si raccomandò Hal, previdente.

Attorno, però, si sentiva solo il richiamo degli uccelli, il leggero stormire delle fronde degli alberi, il ronzare degli insetti. Ero totalmente immersa ad ascoltare quella meravigliosa sinfonia di suoni, quando avvertii un rumore lontano e ripetitivo che turbava quella pace.

Subito non riuscii a identificarlo, ma proveniva dalle nostre spalle, e si avvicinava sempre di più. Gli uccelli si alzarono in volo spaventati. Qualcuno stava arrivando.

«Nascondiamoci dentro quei cespugli, presto!» suggerì Geira. Ci dividemmo, Tyra, Rob e io da un lato della strada e Hal e Geira dall'altro.

Dopo pochi minuti distinsi un battito cadenzato sul terreno, e un cigolio di ruote.

«Ma è... un carro?» bisbigliai a Tyra, accucciata accanto a me.

Rob, che era il più alto, allungò il collo oltre la siepe. «Sì, è davvero un carro!» confermò. «Guidato da... uhm, se non è un contadino del medioevo, allora è un cosplayer molto anziano...» aggiunse.

«Perfetto!» esultai. «Siamo nel periodo storico giusto!» Così uscii dal cespuglio e mi piazzai sul sentiero.

Sentii un coro di bisbigli preoccupati provenire da

entrambi i lati, ma non mi spostai. «Tranquilli, so cosa faccio. Lasciate parlare me». Mi pettinai alla meglio i capelli con le dita, poi cambiai idea e li sciolsi sulle spalle.

Poco dopo, il carro sbucò da dietro la curva. Non appena mi vide, il contadino che era seduto a cassetta tirò le redini e iniziò a guardarsi attorno allarmato.

«Abbiate mercé!» gemette alzando le mani in segno di resa. «Sono un povero contadino che spera di vendere il frutto del suo onesto lavoro al mercato, vi prego messere, non fatemi del male, non possiedo nulla a parte questo vecchio mulo testardo e un cesto di verdure!»

«Eh?» Poi mi venne in mente che probabilmente mi aveva presa per un brigante. «Oh no, no!» mi affrettai a tranquillizzarlo, agitando le mani, «Non sono un brigante, sono solo... ehm... io sono... una Leggen... ehm.» Mi bloccai, cercando di inventarmi qualcosa lì per lì. Di certo non potevo dirgli che ero una newyorkese del futuro venuta a salvare lui e il resto del mondo.

«La mia ragazza!» esclamò Rob, saltando fuori dai cespugli, insieme a Tyra e Hal.

Lo fissai impietrita.

«Cioè, no, mia sorella...»

Sollevai un sopracciglio.

«Anzi, è mia cugina...» si corresse con sempre meno entusiasmo. E poi, guardandomi atterrito: «Ok, solo amici.»

Roteai gli occhi e mi rivolsi al contadino, cercando di usare un linguaggio arcaico, per farmi capire.

Era il momento di usare tutto quello che avevo imparato in anni e anni di letture di poemi antichi, ricostruzioni storiche e fiere medievali.

«Buon uomo, di grazia, avete detto pocanzi che state recandovi alla cittadella, vero?»

L'uomo ci studiò da capo a piedi. Fissò sbalordito Hal e Tyra. Confuso, disse: «Siete forestieri, vedo. Il vostro aspetto, la vostra parlata e i vostri abiti sono invero assai strani... Sto andando alla fiera annuale, madamigella. Una grande occasione: ci sarà anche il re con la sua corte!»

«Il re con la sua corte? Avete ragione, buon uomo, è proprio una grande occasione. Ci potrebbe accompagnare, di grazia?» Indicai Tyra e Hal, che per la pelle scura dovevano sembrargli piuttosto esotici, e ne approfittai per inventarmi qualcosa: «Questa dama e questo messere sono venuti appositamente dall'Oriente per incontrare il re. Noi tre siamo i loro ehm... umili apprendisti e servitori. Ci hanno concesso di accompagnarli in questo avventuroso e periglioso viaggio, cominciato di là dal mare... ma i banditi ci hanno attaccato, abbiamo perso tutto: carri, cavalli e mercanzia!»

Il povero contadino ci guardò con gli occhi spalancati, completamente disorientato.

«Le prometto che non le daremo fastidio, signore» ribadì Tyra sfoderando un sorriso innocente. «Se solo potesse darci uno strappo fino in città...»

Fu così che, dopo avergli spiegato cosa voleva dire "dare uno strappo" e aver ricevuto in cambio un'occhiata perplessa, il contadino ci fece salire sul suo carro.

Sistemandosi tra un cesto di verze e un altro di mele, Hal ammiccò divertito. «Umili apprendisti, ricchi mercanti, briganti... certo che la fantasia non ti manca, eh?»

Feci spallucce. «Mettila come ti pare. Ma intanto vi ho rimediato un passaggio» risposi ridacchiando.

Mezz'ora dopo eravamo nella cittadella.

Era giorno di fiera e passare le mura non fu un problema: mercanti e contadini erano attesi e benvenuti, quel giorno. Ogni vicolo di quella minuscola cittadina strabordava di gente venuta dai dintorni, ma anche da lontano, come si capiva dalla varietà di abiti e di accenti: soldati in libera uscita già leggermente brilli nonostante fosse mattino presto, mercanti dagli abiti sgargianti, contadini con le ceste piene di ortaggi da vendere, povera gente vestita di stracci che si accalcava sperando di rimediare qualcosa da mangiare, artigiani con le loro umili mercanzie. E poi bestiame, galline, mucche, cavalli, che riempivano l'aria dei loro versi e le strade di letame.

Era tutto molto più rumoroso, fangoso e puzzolente di quanto potessi immaginare, nonostante tutte le rievocazioni storiche a cui avevo partecipato nella mia vita.

Quando arrivammo nei pressi della piazza del mercato, salutammo il contadino e saltammo giù dal carro, ma prima di allontanarsi, Rob gli mise in mano una moneta.

Il contadino la guardò con gli occhi sbarrati e per poco non svenne. Poi, profondendosi in ringraziamenti e inchini, arretrò fino al carro e se ne andò, più veloce che poteva, prima che cambiassimo idea.

«Rob, si può sapere cosa gli hai dato? Sembra che abbia visto un fantasma!»

Lui alzò le spalle. «Era solo la mia moneta portafortuna: un dollaro d'argento che mi ha regalato mia zia quando ero piccolo. Se siamo ricchi mercanti dobbiamo stare nella parte, no?»

«A proposito di parte... non possiamo andarcene in giro così!» ci fece notare Tyra. «Non abbiamo gli abiti adatti.»

«Giusto!» disse Hal grattandosi il mento. Poi indicò un orticello a ridosso di una casa, appena più ricca delle altre. Oltre lo steccato di legno, c'erano dei pali su cui erano appesi degli abiti a prendere aria. «Quelli possono andare?»

«Perfetti!» esclamò Tyra, incamminandosi guardinga verso l'orticello.

«State scherzando?» obiettò Geira. «Non possiamo rubarli! E io non ho nessuna intenzione di indossare un abito lungo. Con quelli non si può né combattere né scappare!»

Hal però le strizzò l'occhio. «Noi non ruberemo nulla, li prenderemo solo in prestito! Considerala una operazione sotto copertura, ok? Non esiste che nel medioevo una dama giri vestita da uomo!» Poi aggiunse, ridacchiando: «Dovevamo venire fin qui per vederti infilare una gonna, ma sono certo che ti starà benissimo!»

Udii Geira mugugnare qualcosa di poco carino

all'indirizzo di Hal, mentre tentava di infilarsi l'abito di panno ricamato, lungo fino ai piedi.

«Io comunque tengo sotto i miei abiti. Tyra, Angy, vi consiglio di fare lo stesso: dobbiamo essere pronte a combattere.»

Mascherando una risata con un colpo di tosse andai a trafugare anch'io il mio travestimento. Io però non trovai un vestito da donna che mi andasse bene e infilai delle brache e una tunica, un po' troppo grandi per me e decisamente poco pulite. Per non dare dell'occhio, infilai i capelli in una specie di berretto. Così, potevo essere scambiata per un ragazzino.

Dopo esserci cambiati a turno dietro un pollaio, ci tuffammo di nuovo nella folla che andava al mercato.

Seppi di essere arrivata, prima ancora di essere davvero lì, perché fui investita dal rumore e dagli odori.

Il profumo delle spezie e delle verdure fresche si mescolava con quello nauseante e dolciastro della carne macellata e della selvaggina esposta sui banchi, su cui ronzavano tranquillamente nugoli di mosche. L'odore del bestiame, capre, mucche, cavalli, polli, dei loro escrementi e del sudore della folla mi colpì e quasi mi fece barcollare, come se avessi ricevuto un pugno nello stomaco. La piazza rimbombava di un'assordante cacofonia di suoni: i richiami dei venditori, i versi degli animali, le mirabolanti descrizioni dei venditori di rimedi miracolosi si univano agli scherzi dei saltimbanchi e alla musica di un giullare attorno a cui si era radunata una piccola folla.

Ero rimasta ferma, come incantata, ad assorbire tutte quelle sensazioni, che in un certo senso mi facevano sentire a casa, quando Rob mi scosse: «Angy, Angy!»

«Eh?» Sobbalzai, distogliendo a malincuore lo sguardo dall'esibizione dei saltimbanchi.

«Hai sentito cosa ha detto Geira? Dobbiamo trovare il modo di farci ricevere dal re. Non sarà facile, dobbiamo farci venire in mente qualcosa.»

«Ah, certo...» borbottai. Gli trottai dietro, ma continuavo a distrarmi e a guardarmi attorno, finché lui si fermò di colpo e io andai a sbattere contro la sua schiena.

Perfettamente calata nella parte della mercantessa giunta da lontano, Tyra stava chiedendo a una guardia indicazioni sulla strada per giungere al castello. Dopo aver parlato fitto fitto con la guardia, aiutandosi a un certo punto anche con i gesti, Tyra tornò da noi con un'espressione contrariata sul viso.

«Ragazzi, dobbiamo parlare...» annunciò in un tono che non presagiva nulla di buono. Appena fummo abbastanza lontani dalla guardia che continuava a fissarci sospettosa, ci comunicò che eravamo tornati troppo indietro nel tempo.

Mi sentii sbiancare. «Che vuoi dire?»

«Il re non è Artù. È ancora Uther Pendragon, suo padre!» rivelò Tyra, contrariata.

La notizia ci rigettò nello sconforto. Questo voleva dire che avremmo dovuto riavvolgere il filo, ma di quanti centimetri per apparire al tempo della battaglia di Camlann?

Hal e Geira, ovviamente, avevano opinioni diverse, così Rob, Tyra e io iniziammo a fare calcoli su date e centimetri di filo. Mentre ne discutevamo insieme, un lamento sommesso catturò la mia attenzione.

Voltandomi, notai una bambina ai margini della piazza, accovacciata con la schiena contro il muro bianco di una casa. Indossava un mantello verde di velluto finemente ricamato, aveva l'ampio cappuccio calato sugli occhi e la testa tra le ginocchia, ed era evidente che stesse piangendo.

A causa sua non riuscivo a concentrarmi, perciò lasciai Geira e Hal a discutere e mi allontanai per raggiungerla. I miei compagni erano così immersi nella discussione che non si accorsero della mia assenza. Non mi preoccupai, ero poco distante, e invece setacciai la piazza con lo sguardo, ma non vedevo alcun genitore disperato aggirarsi lì attorno. Forse la bambina era orfana.

Mi chinai sui talloni di fronte a lei e mi schiarii la voce. «Ciao, io mi chiamo Angelica» iniziai. «Ma puoi chiamarmi Angy, se vuoi.»

Lei singhiozzò cercando di trattenere il pianto, orgogliosa, ma non tirò su la testa.

«Ti sei persa?» tentai di nuovo. Sembrava così sola e infelice che sperai almeno di tranquillizzarla.

Finalmente reagì. «No» la sentii pronunciare mentre tirava su con il naso. Aveva la voce cristallina di una bambina come tante, eppure la fierezza con cui parlò mi colpì dritta al cuore. Fu come se mi avesse scagliato una freccia; non sapevo perché questo avrebbe dovuto preoccuparmi, invece sentii ancora più urgente il bisogno di consolarla.

«Allora perché stai piangendo?» le chiesi con gentilezza. «Se me lo dici, forse posso aiutarti.»

La bambina sembrò indecisa. Poi, lentamente, sollevò il viso dalle ginocchia e mi guardò con le gote e il naso arrossati. Lunghe ciocche di capelli neri come l'ebano le scivolarono davanti al viso in onde morbide e lucide come seta. Aveva occhi gonfi di pianto ma, se avesse sorriso, sarebbero stati grandi e meravigliosi, di un verde luminoso come il bosco in primavera. I suoi lineamenti delicati erano stravolti dal dolore, eppure la riconobbi, me ne accorsi subito. Nonostante la giovanissima età, quella che avevo di fronte era Morgana, la mia nemica.

Per lo stupore, barcollai all'indietro e caddi sul sedere.

Lei distolse lo sguardo e la sua espressione afflitta mutò in triste rancore. «Ecco...» singhiozzò. «Prendimi in giro anche tu!»

«Co... cosa?» Faticavo a ragionare. Con tutte le persone che avremmo potuto incontrare nel passato, l'ultima a cui avevo pensato era Morgana. Una piccola Morgana. «Non voglio prenderti in giro!» mi uscì di getto.

Sapevo benissimo chi sarebbe diventata, tutte le cose cattive e ingiuste che avrebbe fatto, eppure non riuscivo a staccarmi da lei. Era chiaro che stesse soffrendo e in quel momento Morgana non mi sembrava altro che una bambina bisognosa d'affetto.

Lei mi rivolse un'occhiata sospettosa. «Davvero non vuoi prendermi in giro?»

Scossi la testa e mi accomodai a gambe incrociate. «No. Certo che no!» risposi, stupita della mia stessa reazione.

«Allora va bene... io mi chiamo Morgaine» aggiunse.

Avrei voluto dirle che lo sapevo, ma naturalmente lo tenni per me. «È un bel nome!» le risposi.

Sul suo broncio spuntò un minuscolo sorriso. Poi però aggiunse allarmata. «Non dirlo a nessuno, ti prego!»

«Va bene! Ma dimmi, qualcuno ti sta cercando?»

Lei abbassò lo sguardo e annuii vigorosamente.

«I tuoi genitori?»

«No. Le guardie.»

«Oh... non avrai combinato una marachella, vero?» la ammonii, conoscendo il tipo.

Ma Morgana scosse ancora la testa e scoppiò a piangere. «Hanno portato via il mio fratellino, Artù! Voglio dire, il principe Arthur. E ora mi hanno detto che non potrò vederlo mai più, non vogliono nemmeno che mi avvicini a lui... Ma io non ho fatto niente!»

Il mio cuore perse un battito: stava parlando proprio di re Artù, il suo fratellastro. La mia memoria tornò al giorno in cui Morgana, reduce dalla sconfitta al lago di Central Park, mi aveva fatto quella confessione toccante sulla sua infanzia. Ricordai che lei e Artù avevano la stessa madre, Igraine, ma non lo stesso padre. Morgaine era figlia del primo marito di Igraine, Gorlois di Cornovaglia, un re sconfitto e cacciato dal regno da Uther Pendragon, l'attuale re. Era stato proprio questo ad allontanarla dall'affetto della sua famiglia.

«Ma perché lo portano via?»

Morgana si asciugò le lacrime con il dorso della mano. «Io... non sono come lui» mi rivelò timidamente.

La sua testa corvina ciondolò, come titubante. «Già. Ma non è solo questo.» Sollevò le mani davanti al viso e le guardò come se non le appartenessero. Allora capii: i poteri di Morgana dovevano essere appena sbocciati, ma lei non li comprendeva e molti iniziavano a temerla.

«Mi dispiace...» mormorai piano. Fu l'unica cosa che riuscii a dirle. Non doveva essere stato bello né facile crescere senza amore, evitata da tutti come pericolosa e diversa. Mentre le posavo una carezza lieve sulla testa, fui raggiunta dai miei compagni. Tyra sgranò gli occhi. «Ma questa è...»

«Sì, Morgana» la interruppi prima che potesse aggiungere altro. «La piccola Morgaine ha bisogno d'aiuto.»

«Stai scherzando!» sbottò Geira.

Mi alzai di scatto, decisa a fronteggiarli. «È una bambina. Guardatela!» Poi mi spostai di lato, così che la vedessero per ciò che era davvero. Almeno a quell'epoca.

Alla fine anche loro dovettero ricredersi.

«Vi spiegherò dopo...» dissi ai miei amici.

Poi mi chinai di nuovo e mi rivolsi a Morgana. «Senti, ora devo salutarti. Dobbiamo fare una cosa importante e non abbiamo molto tempo, però... volevo dirti che le cose andranno meglio.»

Morgana mi fissò stupita, come chi non riceveva una parola buona da troppo tempo, ormai.

«Devi farti forza. Io so che sei forte. Oh, se lo so!» ridacchiai. «Un giorno troverai il tuo posto nel mondo e qualcuno ti accoglierà così come sei. Troverai una brava insegnante che ti guiderà, ne sono certa.»

Morgana raddrizzò le piccole spalle. «Lo pensi davvero?» mi domandò, piena di speranza.

«Certo. Ah!» aggiunsi, mentre mi alzavo per lasciarla al suo destino. «Tu però cerca di fare la brava, d'accordo?»

Morgana sfoderò un dolcissimo sorriso, un po' birichino forse, ma sincero. «Farò del mio meglio!» promise. «Grazie, Angelica, non me lo dimenticherò».

Il tuo sangue
è anche il mio...

Arrotolai il filo di Kronos, giusto un pezzetto, attenta a non esagerare. Non volevo andare troppo avanti negli anni...

Anche questa volta il passaggio fu un'esperienza devastante, ai limiti della sopportazione, ma la sensazione orribile di essere scaraventata fuori da me stessa fu violenta, ma brevissima.

Quando finalmente mi fui ripresa, mi ritrovai sempre nella piazza principale della cittadella, nascosta con i miei amici dietro un cumulo di sacchi, anfore e casse pieni di merce.

La piccola Morgana non c'era più.

Attorno a noi c'era lo stesso andirivieni indaffarato di

mercanti, pastori, conciatori di pelli, contadini, servitori, paggi, soldati e cavalieri. Notai sbalordita che la guardia a cui Tyra aveva chiesto indicazioni era sempre al suo posto. Scrutava ancora il viavai della gente con lo stesso cipiglio serio e corrucciato, ma qualcosa era cambiato in lui: qualche ruga in più segnava il suo volto e dall'elmo sfuggivano ciocche di capelli con qualche filo grigio.

Dimostrava dieci o forse quindici anni in più...

«Non vi sembra che questa piazza sia ancora più affollata?» disse Hal, riscuotendomi dai miei pensieri.

In effetti sembrava quasi che la piazza si fosse ristretta, per la quantità di persone che si aggirava tra i banchi del mercato. Era una folla variegata e colorata: dame e nobili signori, accompagnati dal loro seguito, sfoggiavano preziose vesti di stoffe pregiate e ricamate, dall'aspetto a volte esotico; cavalieri dalle insegne multicolori avanzavano impettiti, circondati dai loro scudieri; mercanti e artigiani indossavano i loro abiti migliori e tenevano accanto a sé mogli e figli, preoccupati che si perdessero nella calca...

Mi bastò quel colpo d'occhio per capire che stava accadendo qualcosa di importante.

«Quelle laggiù, sembrano delegazioni e rappresentanti di regni lontani...» osservai.

Anche le guardie, molte delle quali appostate dietro gli angoli delle abitazioni, parevano raddoppiate rispetto a prima.

«Che cosa vorrà dire, secondo voi?» domandò Rob. «Insomma, siamo o non siamo nel tempo giusto, stavolta?»

«C'è solo un modo per scoprirlo» concluse Tyra, indicando la folla che si ammassava lungo una strada in salita. «Seguiamoli! Sembra che stiano andando tutti quanti al castello...»

Ci mescolammo alla gente e io cercai di carpire qualche informazione dalle conversazioni che si intrecciavano attorno a noi.

Una cosa fu subito evidente: tutti erano ansiosi di vedere il re! Ma di quale re stavano parlando? Nessuno accennava a Gorlois di Cornovaglia, né a Uther Pendragon...

Forse stavolta il re è proprio Artù... pensai, emozionata all'idea di incontrare l'eroe leggendario da cui discendevo, colui che mi aveva lasciato in eredità una straordinaria arma magica e un grande senso della giustizia, ma anche un temperamento difficile, impulsivo e facile alla rabbia, con cui mi trovavo a fare i conti tutti i giorni...

Superati i primi controlli delle guardie ed entrati finalmente nel cuore della cittadella, ne ebbi conferma.

«Avanti, gente, avanti!» ci esortò una guardia, spingendoci malamente, come se fossimo un gregge di pecore. «Sbrigatevi se volete essere ammessi alla presenza di sua maestà Arthur Pendragon!»

Un ragazzino con i capelli ispidi come stoppia di grano e un viso pieno di lentiggini domandò curioso: «Il re avrà con sé Excalibur? La spada che ha estratto dalla roccia? È vero che ha poteri magici? Vorrei tanto vederla!»

«Certo, che ce l'avrà: Excalibur è sempre al suo fianco! Ma non la farà certo vedere a te, sacco di pulci!» rispose la guardia allungandogli uno scappellotto, che il ragazzo evitò con uno sberleffo. «E se fossi in te starei attento a stare al mio posto, capito moccioso? O la prossima volta che ti vedo...»

Il resto delle minacce della guardia caddero nel vuoto, perché il ragazzino era schizzato in avanti superando metà della fila e tirandosi dietro ogni genere di improperi, ma io non li ascoltai: ero troppo preoccupata.

Che cosa dirò ad Artù, quando avrò l'occasione di par-

larghi? E soprattutto... mi ascolterà? Come farò a convincerlo a non usare la sua spada per combattere? Una spada che ha appena estratto da una roccia dopo che tutti hanno fallito? Una spada che tutti considerano prodigiosa, per di più?

Stavo ancora rimuginando, quando mi resi conto che avevamo superato la prima cerchia di mura del castello ed eravamo giunti in un grande cortile dal pavimento lastricato, dove imponenti guardie a cavallo con il blasone di Artù, un corvo ricamato in oro sulla tunica rossa, ci smistarono: nobili da una parte, tutti gli altri dall'altra. I primi, annunciati dai cerimonieri, passavano in pompa magna dall'ingresso principale, abbellito da una volta ad arco e da un magnifico glicine in fiore, mentre noi entrammo da un ingresso laterale, molto più stretto e disadorno, chiaramente riservato alla servitù.

Stipata tra contadini e allevatori, maialini indisciplinati, grasse oche starnazzanti, pecorelle spaurite, ceste ricolme di frutta, verdura, formaggi, lana e pane fragrante, era impossibile confrontarmi con i miei compagni riguardo ai dubbi che mi assillavano, perciò seguii semplicemente l'onda, stando attenta a non pestare i piedi a nessuno.

Una volta all'interno del castello, uno stuolo di servitori addetti alle cucine si occuparono di prelevare gli animali, gli ortaggi e tutto quanto era stato portato per omaggiare il re o per chiedergli un'intercessione legale. Fu un'operazione lunga e caotica, anche perché venimmo perquisiti a uno a uno, dal momento che non erano ammesse armi all'interno, ma alla fine le guardie ci diedero il permesso di accedere alla loggia che correva lungo tre lati della sala del trono.

Sgomitando, Rob e io riuscimmo a farci strada verso la balaustra per assistere dall'alto all'udienza, mentre Tyra, Geira e Hal restarono dietro di noi.

Mi appoggiai a una colonna di legno e sbirciai di sotto. La sala, gremita di dame, cavalieri e signorotti di terre limitrofe, era illuminata da finestroni alti e stretti che gettavano lunghi fasci di luce dorata sui presenti. Lungo le pareti erano allineati preziosi stendardi dai ricami variopinti, con le insegne dei nobili intervenuti a porgere omaggio al re. Ne contai sommariamente una cinquantina.

Artù è appena salito al trono e ha già tutto questo consenso? Pensai, sbalordita. Poi ricordai che proprio in questo consisteva il vero potere di Excalibur: riunire e indirizzare gli animi verso nobili e giusti ideali.

Solo in quel momento il mio sguardo incuriosito si allungò fino in fondo alla sala dove, su un ampio trono rialzato, sedeva il re, intento a ricevere gli omaggi di un nobile signore dai capelli bianchi e dall'aspetto massiccio, inginocchiato davanti a lui.

Sulle prime, pensai che il trono fosse troppo grande per lui, ma poi capii che era Artù a essere troppo esile, forse troppo giovane per quel compito.

«Guarda, Angy...» bisbigliò Rob. «Un po' ti somiglia, non trovi?»

Annuii, ingoiando a vuoto. «Secondo me non deve avere più di sedici anni. Ha la nostra età...» confermai con la voce incrinata dall'emozione.

Restai a guardare incantata quel giovane che faceva del suo meglio per aderire a un ruolo di enorme responsabilità.

I nobili si susseguirono uno dopo l'altro e Artù li ascoltò con attenzione, lasciando loro il tempo di esporre quanto avevano da dire, che fosse una questione territoriale delicata o una semplice promessa di fedeltà al suo regno. Per ognuno riservò poche parole, ma cortesi e mirate, così che gli ospiti tornavano al loro posto soddisfatti.

L'udienza non era ancora terminata e io stavo cercando l'occasione giusta per potermi avvicinare al trono e parlargli. Dovevo assolutamente metterlo sull'avviso e convincerlo a non usare Excalibur per combattere. Se ci fossi riuscita, ci saremmo evitati di intervenire nella battaglia di Camlann, risparmiandoci orrori e pericoli.

Fu allora che udii un mormorio sommesso propagarsi nella sala come un'onda. Ben presto, quel borbottio impercettibile divenne un vociare allarmato, tanto che il vassallo che stava parlando si interruppe, voltandosi con aria interrogativa.

Mi sporsi appena dalla balaustra e scandagliai anch'io la folla per cercare il motivo di quell'agitazione.

Una donna, anzi, una ragazza vestita con un lungo abito di velluto grigio chiaro simile a quello di Viviana, avanzava a testa alta verso il trono, mentre la folla sconcertata si apriva naturalmente davanti a lei, grazie al suo incedere regale e deciso. Teneva i capelli sciolti, ed erano così lunghi da ricaderle oltre i fianchi in morbide onde. Mentre camminava, a testa alta, la chioma le si muoveva fluente dietro la schiena come un mare d'inchiostro.

Era Morgana.

E sembrava avesse qualcosa di importante da dire.

Il mormorio dei nobili si spense a poco a poco e,

quando fu davanti al re, nella sala cadde un silenzio teso.

Morgana chinò appena il capo, e Artù cambiò posizione sul trono, stringendo i braccioli talmente forte che persino dal punto in cui mi trovavo scorsi le sue nocche farsi bianche. Artù era teso, sorpreso e allo stesso tempo infastidito da quella visita.

«Parla, mia adorata sorella» le ordinò in tono formale. Io, però, distinsi un leggero tremore nella sua voce.

A quel punto Morgana cambiò di colpo atteggiamento. Fece un passo, poi si inginocchiò davanti al trono.

«Mio re, mio amato fratello, ti imploro: non bandire i maghi e gli incantatori dal tuo regno...»

Il suo tono era accorato, ma solenne e pieno di dignità. Anche se era in ginocchio, era pur sempre di sangue reale.

Un mormorio scandalizzato percorse la sala.

Io restai di sasso. Artù aveva emanato un simile provvedimento? Com'era potuto succedere, e perché?

Sentii Tyra, dietro di me, trattenere il fiato.

Lo sguardo limpido di Artù si spostò irrequieto sui presenti, che aspettavano con ansia la sua risposta, poi tornò a posarsi su Morgana.

«Alzati, Morgaine!» esclamò autoritario.

Ma lei non si mosse e scosse la testa. «Ti imploro a nome di tutti gli incantatori del regno. Te lo sto chiedendo come sorella, il tuo sangue è anche il mio, Arthur. Ti scongiuro, non cacciarci via. Possiamo essere d'aiuto al tuo regno, renderlo più grande e invincibile!»

Non avevo mai sentito Morgana parlare in quel modo, tantomeno con quel tono straziante di voce.

Artù fece uno scatto e per un momento pensai che volesse andarle incontro per farla alzare. Ma non fu così, o forse cambiò idea quando tornò con lo sguardo ai presenti. Era un re, adesso, e come tale doveva comportarsi.

Si riaccomodò sul trono e guardò Morgana inginocchiata ai suoi piedi, senza dire nulla per diversi istanti.

Alla fine prese un respiro profondo e annunciò, calmo e imperturbabile: «Non intendo tornare sulla mia decisione, la magia può essere pericolosissima nelle mani sbagliate e io devo proteggere il mio popolo.»

«Maghi e incantatori sono pronti a giurarti fedeltà» insistette Morgana.

«I giuramenti posso essere infranti, se a sancirli sono persone malvagie. Tutti i maghi e gli incantatori sono potenzialmente pericolosi, Morgaine.» Fece una pausa.

Poi aggiunse, con un pesante sospiro: «Persino tu... anche se sei mia sorella.»

Le sue ultime parole restarono sospese nella sala come una nube scura carica di elettricità.

Nel silenzio attonito che seguì, Morgana alzò la testa. Non potevo vederla in viso, ma ero certa che stesse guardando Artù con gli stessi occhi increduli con cui lo stavo guardando io.

«Sei bandita dal mio regno, Morgaine di Gorlois.» decretò Artù con voce grave. Poi distolse lo guardo e lo fissò caparbiamente sul primo stendardo che gli capitò a tiro.

Morgana si alzò in piedi come se le costasse una fatica immensa, poi si voltò e andò via quasi correndo dalla sala.

Non appena la persi di vista scattai anch'io.

Facendomi largo tra contadini e mercanti stipati nella loggia, presi le scale laterali da cui eravamo arrivati. Dovevo raggiungere Morgana, dovevo assolutamente parlarle.

Non mi chiesi neanche se i miei compagni mi avevano seguito, ma sentivo i passi di Rob dietro di me.

Scesi a rotta di collo le scale a chiocciola della torre, poi svoltai verso un corridoio che mi sembrava portare nelle sale principali del castello. Non sapevo esattamente dove stavo andando, né se così avrei intercettato Morgana, ma appena girai l'angolo andai a sbattere contro qualcuno.

Sollevai gli occhi, sfregandomi la fronte, e restai a bocca spalancata: davanti a me c'era il mio specchio. O meglio, c'era una giovane donna identica a me, fatta eccezione per i capelli più lunghi e per gli intensi occhi verdi. Era Morgana, di qualche anno appena più grande di me.

Anche lei restò pietrificata a scrutarmi, come se avesse visto un fantasma. Non appena si riprese, sollevò una mano con fare minaccioso. Il suo palmo si illuminò e...

«No, ferma, non vogliamo farti del male!» gridò Tyra, che nel frattempo mi aveva raggiunta.

«La mia amica ha ragione!» confermò Rob. «Quindi, ti saremmo grati se spegnessi la mano... o come diavolo si dice tra voi maghi e incantatori.»

Morgana aveva il viso sconvolto, rigato dalle lacrime. Ci guardò attraverso gli occhi lucidi senza riuscire a capire, poi abbassò la mano e l'alone magico si spense.

«Chi siete?» domandò sospettosa, guardando soprattutto me. Benché fossi altrettanto turbata, mi schiarii la voce e mi feci coraggio.

«Non possiamo dirtelo. Ma puoi stare tranquilla, non ti faremo del male.» Volevo aggiungere altro, ma non riuscii a proseguire, così Tyra continuò al mio posto. «Non disperare, Morgaine. Anche se ti sembra che la situazione sia nera, devi avere fiducia, le cose possono cambiare, ma questo dipenderà da te, dalle scelte che farai, dagli alleati che sceglierai... C'è sempre una seconda possibilità!»

Morgana sbatté le palpebre, studiandoci in silenzio.

Dovevo rassicurarla. «Il re si sbaglia. Non è saggio seguire dei semplici preconcetti e fomentare la paura del diverso, di ciò che non si conosce... E lo sta facendo solo per non scontentare i suoi potenti alleati» aggiunsi con forza. Lei mi fissò ancora più sorpresa.

Allora presi coraggio e aggiunsi, con un nodo in gola: «Morgaine, so che sei stata ferita e ti senti tradita da chi avevi di più caro ma, ti prego, non lasciare che l'odio e la rabbia diventino i tuoi padroni. Questo avrebbe delle conseguenze terribili, che ora non puoi neanche immaginare!»

Come terminai, gli occhi di Morgana si riempirono ancora di lacrime. Si guardò attorno, smarrita, poi andò a sedersi con passo malfermo su una poltroncina davanti a una grande vetrata da cui si intravedeva un grazioso cortiletto interno pieno di rose in boccio. Morgana gli lanciò un'occhiata distratta, poi si rannicchiò tutta, abbracciandosi le ginocchia al petto.

Mi sentii picchiettare sulla spalla. «Angy...» mi richiamò Tyra dolcemente. «So che non vorresti lasciarla così... nemmeno io lo vorrei, ma dobbiamo andare.»

Sollevai gli occhi e lessi sul suo viso la stessa tristezza che mi stringeva il cuore. Tyra aveva ragione: a questo punto era indispensabile procedere con la missione, anche se voleva dire trovarsi in mezzo a un campo di battaglia. Con il cuore pesante, ci allontanammo in punta di piedi, lasciando Morgana in lacrime.

Per Excalibur!
Per il nostro Re!

Appena trovammo un angolo al riparo da occhi indiscreti, presi il rocchetto di Kronos e con le mani che mi tremavano arrotolai il filo di altri dieci centimetri. Non potevo permettermi di sbagliare!

Di colpo e senza alcun preavviso, avvertii quella terribile sensazione a cui non mi sarei mai abituata.

Ancora una volta mi sentii strappata da me stessa, sradicata come un albero da un uragano di una forza inarrestabile. Urlai e venni come sbalzata in avanti, spinta da quella forza, finché non precipitai di nuovo nel mio corpo.

Capii che eravamo stati catapultati avanti nel tempo quando, un istante dopo, fummo quasi travolti da un gruppo di scudieri carichi di spade, elmi e scudi e il suono profondo di un corno echeggiò per tutto il castello.

La battaglia di Camlann era imminente.

Ci precipitammo a sbirciare dall'unica finestrella che dava sul cortile interno e da lì, addossati l'uno all'altro, ci guardammo attorno per capire la situazione.

I comandanti dell'esercito si stavano schierando davanti ad Artù, che li attendeva solenne, in silenzio, trattenendo a stento il suo cavallo, nervoso per l'agitazione che percepiva attorno a lui.

Con un tuffo al cuore notai che il re aveva due spade: una al fianco, ed Excalibur, ancora intatta, in pugno.

«Che si fa?» domandò Tyra. «Dobbiamo avvicinarci al re, ma non possiamo farlo adesso. Se ci mischiassimo ai soldati con indosso abiti da mercanti, ci beccherebbero subito».

«Hai ragione Tyra, ma non possiamo più badare a questi dettagli. Anche se vestiti così correremo qualche rischio, dobbiamo agire immediatamente!» esclamai in preda all'ansia. Davanti ai miei occhi continuava a tornare l'immagine di Morgana che sollevava la Pietra Nera, pronta a pronunciare l'incantesimo, mentre la luna rossa splendeva inesorabile e Geira gridava per il dolore, incatenata da funi di fuoco che le bruciavano la carne.

Geira sembrò leggermi nel pensiero. «Non possiamo più aspettare! Abbiamo il potere di viaggiare nel tempo, ma, nella nostra dimensione, ormai sta per scadere. E non sappiamo neppure se stia continuando a scorrere oppure no. Non possiamo aspettare ancora, dobbiamo seguire l'esercito! E per farlo ci occorrono dei cavalli, perciò... che ne dite di fare un salto alle scuderie reali? Devono essere laggiù...» E facendosi da parte, ci indicò attraverso la finestrella un locale lungo e basso che occupava un lato del cortile, davanti al quale erano appoggiati selle e finimenti.

In quel momento il corno risuonò un'altra volta, una soltanto, con un suono breve e squillante.

«Per Excalibur!» gridò Artù, mentre il suo cavallo si impennava con un nitrito nervoso.

«Per il nostro re!» risposero i generali con un unico grido, lanciandosi al galoppo dietro di lui verso il grosso dell'esercito, schierato fuori dal castello.

Il cortile di pietra rimbombò del rumore secco degli zoccoli sul lastricato e quel suono mi fece accapponare la pelle, come un assordante presagio del fragore e degli orrori della battaglia.

«Andiamo alle scuderie, presto!» gridai, precipitandomi per i corridoi ormai deserti, ma Geira mi bloccò, trattenendomi per un braccio.

«Aspetta! Tyra e io non possiamo combattere conciate così!» disse indicando il suo abito con una smorfia. Poi prese il suo coltello e con un taglio netto liberò se stessa e Tyra della lunga gonna.

«Così va molto meglio!» esclamò soddisfatta, mentre la gonna di panno, malamente strappata dal corpetto, cadeva ai suoi piedi.

Un attimo dopo eravamo già in cortile, diretti verso le stalle. Per nostra fortuna, nel castello regnava la confusione più assoluta: tutti erano indaffarati o intenti a salutare la partenza dei cavalieri. Nessuno fece caso a noi.

Non fu difficile scivolare lungo le mura e infilarci di soppiatto nelle stalle deserte.

All'interno erano rimasti solo tre cavalli, qualche mulo spelacchiato e una schiera di gatti randagi e ossuti che ci soffiarono, con il pelo irto, disturbati dalla nostra invasione. Notai subito che quelli non erano certo cavalli da guerra, ma per noi sarebbero andati benissimo: anche se avevamo tutti esperienza di equitazione, nessuno di noi era in grado di montare un destriero, magari reso nervoso dal trambusto della battaglia.

Hal con un balzò salì in groppa a quello che sembrava

il più focoso dei tre; Geira e Tyra montarono insieme su un vivace morello, mentre io e Rob salimmo su una giumenta bianca, dall'aria decisamente tranquilla.

Prima che qualcuno potesse fermarci, partimmo al galoppo attraverso il cortile, tra lo sconcerto dei servitori e delle guardie rimaste al castello, ma nessuno ci seguì. Probabilmente ci avevano scambiati per messaggeri.

Ci lanciammo dietro l'esercito, attraverso le campagne. All'orizzonte si vedeva ancora la nuvola di polvere sollevata dalla massa di cavalieri, fanti, carri e masserizie al seguito dell'armata. Potevamo farcela!

I contadini che erano chinati a lavorare nei campi si alzavano al nostro passaggio, per salutarci come si salutano i soldati prima di una guerra: ci benedivano da lontano, o mormoravano una preghiera per noi. Qualche fanciullo lanciava sul sentiero dei fiori, augurandoci di vincere contro l'usurpatore e di fare ritorno sani e salvi. Poi abbassavano la testa e tornavano al loro lavoro, come in un giorno qualunque. La guerra era scontata, ai tempi di Artù, e la semina o gli animali non potevano aspettare.

Chissà quanti mariti, giovani padri, figli e fratelli saranno partiti questa mattina per andare a combattere con l'esercito di Artù... mi domandai vedendo la loro cupa rassegnazione. E il mio cuore si strinse in una morsa, perché mi resi conto che conoscevo già come sarebbe andata a finire: nessuno sarebbe sopravvissuto, a parte Mordred.

Lo dissi a Rob, con voce spezzata. Lui non commentò, ma spronò il cavallo ancora più veloce.

Polvere e terra si alzavano turbinando dietro di noi, mentre sfrecciavamo all'inseguimento dell'esercito, una massa indistinta di colori all'orizzonte, sospesa in una nuvola di polvere, che si fece via via più vivida, finché iniziammo a scorgere le punte delle lance e delle insegne.

Ce l'abbiamo fatta, li abbiamo raggiunti! mi dissi sollevata. *Riuscirò a parlare ad Artù prima della battaglia, torneremo in tempo, fermeremo Morgana! E Geira non dovrà soffrire neanche un istante in più...* ma il suono prepotente del corno interruppe i miei pensieri. La massa immobile dei cavalieri e dei fanti si mosse all'improvviso, con un immenso boato, e si lanciò contro il nemico.

La battaglia era iniziata.

«Evocate le vostre armi! È il momento di buttarci nella mischia!» gridò Hal senza fermarsi né rallentare.

Sulla schiena di Rob apparvero subito un arco e una faretra già carica di frecce. Con il cuore che galoppava nel petto e il sangue che pulsava dolorosamente nelle tempie, anch'io mi preparai a richiamare Excalibur, ma la spada non arrivò.

E mi resi conto che non sarebbe arrivata...

Artù e io ci trovavamo nello stesso tempo. Excalibur in quel momento non era mia, era di Artù.

«Rob!» gridai, mentre il fragore e le urla della battaglia si avvicinavano sempre più «Non posso evocare Excalibur, adesso appartiene al re!»

Rob non mi rispose, ma tirò le redini e fermò il cavallo.

«Presto, passa davanti!» mi esortò.

Facemmo a cambio il più rapidamente possibile, così ora ero io a tenere le redini, e Rob, dietro di me, mi guardava le spalle con la freccia pronta e incoccata nell'arco.

Nel frattempo, Hal tornò indietro per accertarsi che stessimo bene, e così fecero anche Geira e Tyra.

«Rimaniamo uniti, non separiamoci!» ci ordinò Geira. Aveva lo scudo di Lagertha sollevato e la lancia di Tyra nell'altra mano.

«Dobbiamo avvicinarci il più possibile al re. Devo parlargli a tutti i costi: non deve usare Excalibur, o tutto sarà stato inutile...» esclamai con l'adrenalina che scorreva nelle vene e mi faceva accelerare i battiti.

«Facile...» commentò Rob sarcastico, scrutando preoccupato il cuore della battaglia. Anche se non potevamo ancora scorgerlo, il re doveva essere lì. Artù non era tipo da restare nelle retrovie.

«Ragazzi, non posso usare Talos per difenderci: dobbiamo passare inosservati...» intervenne Tyra. «Ma posso creare una barriera come quella che ci ha protetto dalla Tempesta d'Ombre. Sperando che funzioni anche contro frecce, spade e colpi di lancia...»

«Perfetto, allora fallo!» la esortai impaziente.

«Sì, ma fai attenzione, Tyra...» la mise in guardia Hal. «Artù ha bandito i maghi e gli incantatori dal regno, nessuno deve capire che sei una di loro, o potrebbe finire molto male!»

Tyra annuì e sollevò lentamente le mani. L'aria intorno a noi prese a tremolare e a diventare più densa, come gelatina, e io capii che l'incantesimo stava funzionando.

Poco dopo, protetti dalla barriera invisibile, avanzavamo compatti nel fragore della battaglia di Camlann.

Una sconvolgente sinfonia di morte

Avevo l'impressione che ci muovessimo al rallentatore, immersi in una sconvolgente sinfonia di morte, mentre tutto attorno a noi sembrava accadere a velocità doppia.

Le urla degli uomini di entrambi gli eserciti, il fragore metallico delle armi che cozzavano tra loro, i tonfi dei corpi che cadevano a terra, i lamenti strazianti dei feriti, le grida e le esortazioni dei comandanti, le maledizioni e le imprecazioni dei soldati, rimbalzavano da uno schieramento all'altro.

Grazie alla protezione di Tyra, le frecce fischiavano sopra le nostre teste o accanto a noi senza sfiorarci, i cavalieri ci evitavano deviando all'ultimo istante come se davanti a loro ci fosse stato un muro, e lance e spade si incrociavano brutali da ogni lato mentre noi tenevamo i cavalli al passo, inoltrandoci sempre più nel cuore della battaglia.

Qua e là vennero accesi dei fuochi e l'aria si riempì del fumo nero dell'olio bruciato.

Ogni cosa era pervasa dall'odore pungente del fumo ma anche da un altro odore, acre e dolciastro, che mi diede la nausea. Era odore di sangue e di carne straziata, odore di morte...

Grosse lacrime cominciarono a scendermi lungo le guance, senza che potessi fare nulla per trattenerle.

Continuai a condurre piano il cavallo verso il centro del campo, anche se la voglia di fuggire via da quegli orrori era più forte di qualsiasi cosa, ma sapevo di avere una missione da compiere, una missione di vitale importanza che solo io avrei potuto portare a termine...

Come se avesse capito quello che pensavo, Rob mi prese una mano e la strinse, intrecciando le sue dita alle mie. Bastò quel gesto per darmi la forza di andare avanti.

Era così non solo per noi due, ma per tutti noi: prendevamo forza uno dall'altro. Eravamo una squadra.

Lanciai delle rapide occhiate ai miei amici: avanzavano con il volto contratto, stringendo i denti, con gli occhi arrossati dal fumo e dalle lacrime.

Tyra, mi parve la più provata di tutti. Una goccia di sangue scarlatto le colava dalle narici e le braccia le tremavano visibilmente: l'incantesimo su stava facendo troppo impegnativo per lei?

Poi dopo qualche istante capii: ogni volta che vedeva un ferito implorare soccorso avrebbe voluto correre in suo aiuto, soccorrerlo, alleviare le sue sofferenze, magari provare a guarire i tagli meno profondi. Invece era costretta a continuare ad avanzare, ignorando quelle disperate richieste di aiuto. Non poteva distrarsi neanche un istante per aiutarli: le nostre vite, e l'esito della missione dipendevano dalla sua barriera.

Mentre proseguivamo, di colpo il cielo si fece più cupo, l'aria spirò fredda sulla piana e infine si mise a piovere.

Una pioggerellina sottile e opprimente, simile a nebbia sospesa. Lentamente, la terra sotto di noi si trasformò nella distesa di fango e sangue che avevo già visto nei miei incubi e nella Soglia, mentre gli scontri intorno a noi si facevano più lenti e più radi.

Aggirando assembramenti di soldati, falò lasciati

incustoditi, corpi straziati e armi abbandonate, impiegammo più di mezza giornata prima di raggiungere il centro del campo. Molti soldati erano a terra, ma pochi ancora vivi. Ero sfinita, ogni passo in quell'inferno mi pesava come un macigno sul cuore.

Finché, quasi al tramonto, ci ritrovammo su un piccolo spiazzo sopraelevato dove si stava svolgendo un duello all'ultimo sangue: erano Artù e il giovane Mordred.

Il clangore delle loro spade era l'unico suono a echeggiare nei dintorni. Mi voltai e feci scorrere lo sguardo lungo la linea del vasto orizzonte, allora mi accorsi con orrore che in tutta la piana non era rimasto in piedi nessuno, a parte il re e il suo nemico.

Artù aveva ancora entrambe le spade: Excalibur nel fodero appeso al fianco e l'altra stretta in pugno. Con quella cercava di contrastare la ferocia di Mordred ma, per quanto fosse abile ed esperto nel combattimento, non riusciva ad avere la meglio: il nipote era più giovane, forte e pieno di odio.

Sfibrato dalla lotta e dal profondo dolore del tradimento, il re vacillava e sapevo che presto sarebbe stato sconfitto. Quella consapevolezza mi straziava: stava per essere ucciso e non avrei potuto far niente per impedirlo...

Poi mi ricordai di quando avevo trovato Artù, sospeso nel Velo tra i due Mondi, né morto né vivo, con Excalibur spezzata tra le mani. Forse non potevo impedire che morisse, ma potevo fare sì che avesse finalmente il riposo che meritava. A quel pensiero ritrovai tutta la determinazione di cui avevo bisogno. Era il momento di intervenire, dovevo evitare che Excalibur venisse spezzata, non potevo più aspettare.

Scesi da cavallo. Protetta dalla barriera e circondata dai miei compagni arrancai fino in cima alla collinetta.

Ero vicinissima ai duellanti: ne avvertivo i pesanti sospiri, le imprecazioni, i gemiti.

Artù, incalzato dalla furia degli attacchi inciampò e cadde all'indietro. Con un urlo roco, Mordred gli fu addosso, ruotò la spada e colpì quella con cui Artù, a terra e allo stremo delle forze, tentava di difendersi.

La spada volò lontano e cadde con fragore sulle rocce. Mi tappai la bocca per non urlare: il re era stato disarmato. Era la fine.

Quasi incredulo, Mordred si fermò un istante e guardò dall'alto lo zio sconfitto, con un crudele sorriso di trionfo dipinto sul viso. Incurante dello scempio che la sua sete di potere aveva creato per molte miglia attorno, del legame di parentela che lo legava al suo avversario e di ogni pietà, Mordred gioiva dell'umiliazione del suo nemico.

Ficcai la mano nella tasca della tunica dove avevo riposto il rocchetto di filo e lo strinsi forte tra le dita fino a sentire le unghie graffiarmi i palmi. Sentivo la rabbia salire dentro di me a ondate e per un attimo fui tentata di svolgere il rocchetto, giusto un pezzetto, quanto bastava per tornare indietro e disarmare Mordred. Ma era rischioso, troppo rischioso, avrei potuto mancare l'attimo e rovinare tutto...

Respirai a fondo, allentai la mano e lasciai il rocchetto.

Mentre le lacrime mi scendevano lungo le guance, senza che potessi fare niente per fermarle, Mordred sollevò la spada, pronto a dare il colpo di grazia.

Artù allora fece l'unica cosa che poteva fare, ciò che sapevo avrebbe fatto: sguainò Excalibur. Con la sofferenza sul volto, strinse entrambe le mani sull'elsa di quella spada che conoscevo così bene.

«No, mio re, fermatevi!» gridai con quanto fiato avevo in gola. «Excalibur non deve essere usata per uccidere! Non fatelo o sarà la fine non solo per voi, ma per tutti!»

Artù non girò la testa, non mi guardò, ma le sue mani si fermarono e lui esitò, sbattendo le palpebre come se si fosse svegliato nel bel mezzo di un incubo.

Fu l'istante decisivo. Mordred calò la spada nel petto di Artù, affondandola fino al cuore. Il mio re restò senza fiato, prima sopraffatto dall'odio profondo che muoveva le azioni di Mordred, poi per la vita che lasciava il suo corpo rapidamente.

Re Artù era morto.

Nello stesso momento, anch'io avvertii qualcosa rompersi dentro di me: avevo assistito di persona alla morte dell'Eroe da cui discendevo. Le ginocchia mi si piegarono e caddi sul terreno sconnesso, in preda ai singulti.

Rob si avvicinò, si inginocchiò accanto a me e mi abbracciò forte, senza dire nulla, mentre ero sopraffatta dal dolore e dalle emozioni...

Avrei dovuto essere soddisfatta. Avevamo compiuto la nostra missione. Excalibur era intera e Mordred era vivo davanti a me, un uomo in carne e ossa che si beava della sua ferocia. Non sarebbe più diventato uno Stregone d'Ombra, né vivo né morto, sospeso nella Soglia tra i Mondi a tramare vendetta, consumato da un odio eterno.

Una fine perfetta, se non ci fosse stato il rovescio della medaglia, quello che mi lasciava affranta dal dolore e con un sapore amaro in bocca: la morte definitiva di Artù.

Rob mi sollevò il viso e mi fissò a lungo con uno sguardo così intenso e caldo che mi scese fino in fondo al cuore come un balsamo. Mi asciugò le lacrime di dolore e di rabbia con le sue mani, con una carezza, e sussurrò: «Angy, dobbiamo andare...»

Deglutii forte e come se mi fossi svegliata improvvisamente da un incubo mi alzai in piedi e corsi a recuperare Excalibur. Con la spada in pugno mi voltai verso i miei compagni, pronta ad arrotolare il filo del tempo e tornare al presente.

«Siete pronti?» chiesi.

«Aspetta! Dobbiamo portare Mordred con noi!» disse Tyra. Mi voltai, ancora scossa, e la guardai senza capire.

«Se Mordred restasse qui, il regno di Camelot sarebbe governato da un tiranno...»

Ero così sconvolta che non ci avevo pensato, ma aveva assolutamente ragione.

Geira e Hal si scagliarono su Mordred che, sfinito dal combattimento, era fermo davanti alla salma di Artù, assaporando il suo trionfo. Non fece in tempo a capire cosa stesse accadendo che si ritrovò a terra, con entrambe le braccia bloccate e legate dietro la schiena.

«Presto!» gridò Geira «Andiamo via prima che arrivi Morgana!»

Anche di questo dettaglio mi ero scordata: subito dopo la battaglia, Morgana aveva raggiunto Artù e, vedendolo in fin di vita, lo aveva portato con sé fino al lago e l'aveva adagiato in una barca con l'intenzione di portarlo da Viviana, sperando così di salvargli la vita.

Ora quella barca non sarebbe più rimasta sospesa sulla Soglia tra i Mondi. Sarebbe finalmente approdata ad Avalon, e il re avrebbe trovato la pace.

Fu proprio questo pensiero a darmi la forza di andare avanti. Mentre ancora Mordred si domandava da dove diamine fossimo sbucati, afferrai la spoletta di Kronos ma prima di arrotolare il filo quel tanto che sarebbe bastato a riportarci tutti nel presente, mi voltai a guardare Geira. Sapevo che l'istante dopo si sarebbe ritrovata prigioniera e in pericolo di vita.

Era lei a rischiare più di tutti noi...

Geira mi fece un segno di assenso con il capo, strinse i pugni e disse solo: «Sono pronta.»

Tyra non disse nulla, non riusciva. Si limitò ad abbracciarla, trattenendo a stento le lacrime.

Tempo di giustizia

Un istante dopo, fui scaraventata fuori da me stessa, con una violenza che ancora una volta mi fece quasi perdere conoscenza.

Fu questione di un secondo e mi ritrovai, completamente frastornata e in preda ai conati, nello stesso identico punto della piana di Camlann, ma intorno a me non c'erano più sangue, morte e fango: eravamo tornati al presente, esattamente nell'istante in cui stavo per srotolare il filo di Kronos...

Sbalordita, notai che il rocchetto che stringevo in mano fino a un istante prima, non c'era più. Avevamo concluso la missione, il cerchio si era chiuso, e il magico rocchetto era tornato alle sue proprietarie.

Mi riscossi immediatamente, Non potevo esitare.

Mi voltai di scatto, con Excalibur ancora in pugno. Sapevo già ciò che avrei visto: Morgana con le braccia levate in alto verso l'eclissi che stava per completarsi, che stringeva nelle mani la Pietra Nera. Ai suoi piedi Geira, in ginocchio, legata da funi incandescenti e piegata dal dolore. Accanto a lei Miller e Amelie ci guardavano con un sorriso di trionfo sul viso.

«Geira! Resisti!» urlò Tyra sconvolta, con il viso rigato di lacrime.

Era tutto come l'avevamo lasciato, tranne un particolare: Morgana mi guardò negli occhi... ed esitò.

Le sue labbra erano socchiuse, i suoi occhi fissi sulla Pietra... ma non lei non iniziò a pronunciare l'incantesimo. In quell'istante di incertezza, la Pietra le scivolò dalle mani e cadde a terra.

Sentii l'adrenalina bruciarmi nelle vene come fuoco. Con un balzo che non avrei mai immaginato di saper fare mi lanciai sulla pietra, con Excalibur in pugno, e la colpii con tutta la mia forza.

La spada penetrò nel cristallo nero come se fosse burro, sollevando una pioggia di scintille viola. Restai qualche secondo con le mani strette sull'elsa, ansimante, il cuore in gola e le ginocchia sull'erba rugiadosa. Intorno a me avvertivo un silenzio attonito, così pesante da assordarmi.

Poi, lentamente, accadde qualcosa...

Mentre Morgana urlava per la rabbia e la disperazione, il bagliore violaceo che emanava la Pietra si intensificò, divenne sempre più intenso e insopportabile alla vista, finché fui costretta a socchiudere gli occhi, anche se la luce filtrava comunque dolorosamente attraverso le palpebre.

La Pietra vibrò, come un mostro ferito e in collera.

Tutto intorno a me iniziò a tremare, la radura sotto le mie ginocchia, la spada conficcata nella Pietra, persino l'aria prese a turbinare in un vento così furioso che le mie dita iniziarono a scivolare sull'elsa, ma io le strinsi ancora più forte, come se Excalibur fosse la mia àncora, la mia salvezza.

La furia degli elementi si intensificò al punto che iniziai a temere davvero per la mia vita, e per un istante pensai di fuggire, ma non potevo. Le mie dita erano incapaci di staccarsi dalla spada. Non potevo togliere le mani dall'elsa, non potevo alzarmi, non potevo fare alcun movimento, se non restare con le ginocchia su quel mare d'erba e continuare a tenere Excalibur conficcata nella Pietra.

L'incantesimo di distruzione si era attivato, e io, la mia

spada e le mie mani ne facevamo parte. Dovevo resistere.

Allora mi ricordai di Artù. E di Merlino e di Viviana. Rividi il volto smarrito e gli occhi pieni di paura dei ragazzi prigionieri di Mordred. Quanto dovevano aver sofferto sotto l'influsso malefico suo e delle sue ombre?

Come in un sogno, avvertii il tocco di una mano su una spalla. Era Rob, ed era accanto a me, come sempre.

Intravidi i miei amici farsi vicini, pronti a sostenermi e ancora una volta di più seppi che non ero sola.

Serrai forte gli occhi e con le forze che mi restavano strinsi ancora di più la mia presa su Excalibur. Gridai, con quanto fiato avevo in gola, determinata a distruggere una volta per tutte la causa di tanta sofferenza e di tanto male.

Poi, proprio quando capii che non ce l'avrei fatta a reggere oltre, ci fu un tremendo boato e venni sbalzata all'indietro dalla forza distruttrice della Pietra che si frantumò in milioni di minuscoli pezzi. Le sue schegge nere riempirono l'aria attorno, volando in tutte le direzioni come minuscoli proiettili prima di dissolversi per sempre in un ultimo lampo di luce viola.

Ricaddi all'indietro sul terreno, battendo così forte la schiena che l'aria mi uscì dai polmoni tutta in una volta.

Quando provai a tirare su la testa avvertii fitte lancinanti in ogni muscolo e mi resi conto che non sarei riuscita ad alzarmi tanto presto.

«Ehi, ehi! Piano, piano...» mormorò Rob, chino su di me. «Dove credi di andare?»

Prima di rendermene conto risposi con un sussurro: «Da nessuna parte...» e appoggiai le mie labbra sulle sue, come se fosse la cosa più naturale del mondo. Ci separammo guardandoci negli occhi con uno sguardo così intenso che valeva più di mille parole. Fu un attimo, poi persi conoscenza e per un po' non seppi se avevo sognato, oppure no.

«Forza, Angy, non è ancora finita!» mi riscosse Rob qualche istante dopo, porgendomi la mano per tirarmi su.

Lo guardai con aria interrogativa e lui mi strizzò un occhio, lasciandomi il dubbio di non aver sognato affatto...

Ma non avevo il tempo di pensarci. Geira era ancora prigioniera, sfinita dal dolore, e l'immenso esercito di Morgana era schierato in tutta la pianura, pronto ad attaccare.

Morgana era in piedi davanti a me e mi fissava esterrefatta. Il suo volto pareva di marmo.

Alzò una mano, lentamente e per un attimo ebbi la certezza che stesse per lanciarmi un incantesimo.

Invece, dopo un istante che mi parve un eternità, lasciò cadere la mano lungo il fianco e semplicemente restò a guardarmi, con un'espressione indecifrabile sul viso e gli occhi grandi, sgranati, come se non mi riconoscesse, o come se mi avesse vista, davvero, per la prima volta.

Poi il suo sguardo si sollevò e si spostò lontano, oltre le mie spalle, e i suoi occhi si spalancarono per la sorpresa...

Libera,
e pronta a combattere

L à dove fino a poco prima si trovava il portale che conduceva all'accampamento di Mordred, c'era una piccola folla di ragazzi dall'aria frastornata.

Dalle loro bocche aperte, uscivano filamenti sottili simili a fumo nero che si dissolvevano nell'aria.

I ragazzi-ombra, i nostri compagni Leggendari, erano finalmente liberi! Eravamo riusciti a salvarli, avevamo cambiato davvero le cose.

Sospirai di sollievo con un respiro lungo e profondo e anche io vidi il mio fiato condensarsi in un sottile filo di fumo nero che si dissolse nell'aria. Qualcosa dentro di me si sciolse, come un grumo di emozioni cupe e rancorose che si era annidato in fondo all'anima, e scivolò via.

Ero libera, e pronta a combattere.

Ed era un bene, perché lo sguardo di Morgana si fece duro e tagliente come una lama di giada. Poi, con aria quasi annoiata, fece un cenno con la mano destra.

«Facciamola finita...» disse, e scatenò il suo esercito di manichini contro di noi.

Tyra si preparò ad attaccare Morgana, che era immobile davanti a me, pericolosamente vicina. Geira era ai suoi piedi, ancora legata dalle funi infuocate. Il suo volto era sfigurato dal dolore. Guardai Tyra negli occhi e le dissi: «A lei penso io. Tu occupati di Morgana!»

«A noi due, maledetta! Libera la mia amica!» gridò Tyra, lanciando Talos contro Miller e Amelie. La statuina ricadde a terra con un tintinnio metallico ma un istante dopo, tornato a essere un gigante di bronzo, Talos li afferrò con una sola mano e li scagliò lontano.

Poi si girò e cominciò a disperdere i manichini a manate, come se fossero mosche da scacciare.

Halil corse a immobilizzare i due scagnozzi di Morgana e li legò a un albero poco lontano, accanto a Mordred.

Intanto Tyra, con il volto rigato di lacrime ma resa instancabile dalla rabbia e dalla disperazione di vedere Geira prigioniera, aveva iniziato a scagliare contro Morgana tutti gli incantesimi che aveva imparato da Viviana, uno dopo l'altro, instancabilmente. Non erano potenti e Morgana li respingeva con facilità uno dopo l'altro, ma la tenevano impegnata.

Io approfittai della sua distrazione, rotolai a terra e raggiunsi Geira. Con grande attenzione, per non ferirla con la lama affilata di Excalibur, mi apprestai a tagliare le funi magiche che la legavano. Come le toccai con la lama della spada, le funi infuocate sfrigolarono e caddero, ridotte in cenere.

Mentre trascinavo Geira al sicuro, Hal e Rob tentavano di respingere gli attacchi dei manichini, che avanzavano verso di loro in una massa scura e compatta, come un fiume di scarafaggi. Tagliavano, colpivano, amputavano arti di plastica, mozzavano teste senza vita, senza rallentare un attimo neanche per prendere fiato, ma i manichini non si fermavano, avanzavano comunque, anche se sfigurati e deformi, strisciando e barcollando, e tornavano a colpire e ad attaccare ancora e ancora.

Non erano vivi, non sentivano dolore e non potevano morire. Niente poteva arrestarli.

Mordred, con le mani legate dietro la schiena, appoggiato a un albero poco distante, osservava la scena, con un ghigno di disprezzo sul volto.

Sentivo i suoi occhi che mi squadravano da capo a piedi, soffermandosi a lungo sulla mia spada.

Quando capì che era Excalibur, e che era intatta, esplose in un grido di rabbia e frustrazione: «Tu! Sei stata tu! È colpa tua, hai rovinato tutto, ma io ti distruggerò!»

Poi alzò le mani pronto a scagliarmi addosso le sue ombre, ma non c'era più nessuno a rispondere ai suoi ordini, nemmeno Lancillotto, che in quell'istante si accartocciò su se stesso come un castello di carte che crolla al primo alito di vento, e la sua armatura andò in pezzi.

Trattenendo il respiro dal raccapriccio, mi azzardai a lanciare un'occhiata a quei mucchi di maglie annerite, ma invece di un corpo in decomposizione vidi... il nulla! Quello che credevo essere Lancillotto non era altro che un thrall, un'armatura vuota al servizio di Mordred.

A quel punto capii che non avevo più nulla da temere da lui. «Vuoi distruggermi?» risposi, sostenendo il suo sguardo. «Posso ricordarti... che non sei più uno stregone?»

Sconvolto alla vista di Excalibur e consapevole di non avere più alcun potere, Mordred si rivolse a Morgana.

«Morgaine, mia potente alleata, liberami! Uniamo le forze come un tempo, possiamo ancora vincere! Siamo uguali noi due e insieme saremo invincibili, il nostro potere sarà immenso... tu e io regneremo per sempre su entrambi i mondi. Possiamo ancora riprenderci ciò che Artù ci ha tolto!»

«Medrawt! Come osi? Non sei degno di pronunciare il nome di Artù! Traditore, mio fratello non doveva morire...»

Lo fissò con uno sguardo terribile e alzò una mano. Ero convinta che stesse per lanciare un incantesimo e che l'avrebbe ucciso all'istante, ma Morgana ancora una volta mi stupì.

«Io non sono come te!» urlò, quasi sputando le parole una a una, con una smorfia di disgusto. «Non più, almeno...» aggiunse poi più piano, lanciandomi un lungo sguardo che sul momento non riuscii a interpretare.

Poi abbassò la mano e distolse lo sguardo da lui, come se fosse la più infima e ributtante delle creature, e tornò a dedicare la sua attenzione alla battaglia.

Ben presto notai però che Morgana non teneva più il ritmo. Sembrava faticasse a respingere gli incantesimi di Tyra e man mano che Halil, Rob e Talos, distruggevano i suoi orrendi manichini, lei non si occupava più di ricomporli.

Alcuni, notai, avevano le braccia invertite, o una sola

gamba e molti pezzi restavano inanimati, sul prato.

Morgana non era il tipo da tralasciare i dettagli o da raffazzonare incantesimi alla bell'e meglio.

Che stava succedendo?

Le scoccai un'occhiata indagatrice e mi accorsi che il suo viso iniziava a invecchiare. C'era qualche filo d'argento tra i suoi capelli e rughe sottili intorno agli occhi.

Possibile che fosse quello il motivo?

Non lo pensavo: a Lemno ci aveva attaccato comunque con ferocia...

In ogni caso, forse avevamo una speranza.

Tutti con te!

Ormai del tutto svegli, i ragazzi liberati dall'influenza di Mordred ci raggiunsero e si gettarono nella mischia, evocando le proprie armi.

«Pendrake, siamo pronti!» gridò un ragazzo poco più grande di me, alla mia sinistra. Aveva i capelli neri ritti sulla testa e nella mano stringeva un arco semplice come quello di Rob, ma più rudimentale. Alle estremità erano legate bianche piume d'aquila.

«Siamo tutti con te!» fece eco un'altra Leggendaria alla mia destra. Era minuta, probabilmente non aveva più di quattordici anni, ma mostrava un cipiglio da vera combattente. La sua arma era una catana dalla lama affilatissima che mandava bagliori metallici a ogni suo movimento.

La battaglia si riaccese in un secondo e in un secondo occupò l'intera radura in un infinità di duelli e piccoli combattimenti.

Con immenso sollievo vidi che Geira si era ripresa e grazie a un incantesimo di Tyra che aveva alleviato il dolore delle ustioni ai polsi e alle caviglie, era riuscita a evocare lo scudo di Lagertha, ed era pronta a intervenire dove ci fosse bisogno di lei.

Mi lanciai anch'io in avanti, con Excalibur in pugno, ma di colpo mi ricordai che non potevo usarla per battermi, per uccidere o fare del male. Non ero sicura di poterla adoperare anche se i nostri avversari erano semplici manichini... Per evitare guai, decisi di procurarmi un'altra arma per difendermi.

«Angy... la spada di Lancillotto!» suggerì Rob scoccando una freccia che colpì un manichino dritto in un occhio. Mi aveva visto in difficoltà e si era incollato al mio fianco per coprirmi le spalle...

Mentre Rob mi seguiva, scoccando frecce una dopo l'altra, raggiunsi i resti dell'armatura di Lancillotto, scansai con un calcio l'elmo che era finito sopra il resto e recuperai la spada insieme al suo fodero.

L'arma di Lancillotto non era leggera come Excalibur,

constatai, ma sembrava ancora affilata e ben bilanciata.

Senza perdere un secondo, mi agganciai il fodero al fianco e vi feci scivolare dentro Excalibur, poi impugnai la spada di Lancillotto con entrambe le mani, giusto in tempo per colpire con un fendente un orrendo manichino, con la testa vuota ciondolante sul collo, nel momento esatto in cui stava per colpire Rob alle spalle.

La testa di plastica traballò, in bilico, poi cadde a terra seguita dal resto del corpo.

«Grande, Angy! Direi che mi hai appena salvato la vita!» esclamò lui con un sorriso.

Sapendo che erano inarrestabili, sollevai la spada e mi preparai ad affrontare di nuovo il manichino, ma quello restò immobile dov'era.

Era molto strano. Mi guardai attorno e notai che la stessa cosa accadeva a tutti i manichini abbattuti.

«Rob, non si rialzano più!» esclamai stupita e sollevata allo stesso tempo.

«L'ho notato...» confermò lui velocemente.

Poi scagliò una freccia lontano, dritta nel petto di un manichino che stava per assalire la ragazzina con la catana. Lei tirò un gran sospiro di sollievo e chinò il capo in segno di ringraziamento.

«Non c'è di che!» le rispose Rob con una strizzatina d'occhio. Poi si rivolse di nuovo a me. «Angy, guarda Morgana. Credo di aver capito...»

Seguii il suo sguardo e solo allora mi resi conto che Morgana aveva la fronte aggrottata e osservava assente l'esercito di plastica mentre veniva decimato dai Leggendari. Non solo non faceva nulla per scongiurare la fine, ma sembrava così inerte che persino Tyra aveva rinunciato a lottare con lei e ora le dava le spalle senza alcuna preoccupazione, mentre Talos si spostava nel campo schiacciando sotto i piedi gruppi di manichini come fossero formiche.

«Che diamine le è preso?» esclamai, sbalordita.

Rob scrollò le spalle. «Non lo so... ha semplicemente smesso di combattere.»

Era vero, eppure ero convinta che ci fosse sotto qualcos'altro. L'espressione sul suo viso non era di resa o di sconfitta. Sembrava distaccata, come se la battaglia non le importasse più...

In ogni caso smisi di pensarci perché altri manichini tornarono all'attacco, come pupazzi caricati a molla.

Lo scontro proseguì ancora alcuni lunghi interminabili minuti, ma senza l'intervento di Morgana, che sembrava essersi completamente disinteressata delle sorti della battaglia, ben presto fummo in netto vantaggio.

Quella visione mi ricordò un'altra scena, ancora vivida nella mia mente: il campo di Camlann ai tempi di Artù, trasformato in un inferno di corpi senza vita, fango e armi abbandonate... Mentre il mio sguardo offuscato da quel ricordo, così vivido, si spostava lungo la radura, mi parve quasi di avvertire ancora l'odore del sangue, del fumo e dell'olio bruciato, e di sentire i lamenti dei feriti...

Chiusi gli occhi e scrollai la testa per liberarmi di quella visione agghiacciante. Quando li riaprii, la piana era cosparsa di manichini ammaccati, arti spezzati, teste mozzate...

L'esercito di Morgana era a terra, sconfitto.

Una piccola schiera di ragazzi e di ragazze, stremata e ancora ansimante per la lotta, si guardava attorno, incredula per l'esito di quella battaglia.

Morgana era ferma, immobile, in mezzo a quel disastro, ma la sua mente sembrava lontana. Ero certa che anche lei, come me, stesse ricordando altri campi di battaglia, altre devastazioni, altro dolore...

La raggiunsi con calma e levai lo sguardo sul suo viso impassibile e bellissimo, appena solcato da rughe sottili.

«Morgaine Le Fey, ti arrendi?» chiesi a voce alta, scandendo le parole. L'intera pianura restò con il fiato sospeso.

«Sì» rispose lei sostenendo il mio sguardo, quasi sollevata. «È finita. Mi arrendo a te, Angelica Pendrake, custode di Excalibur, coraggiosa erede di Arthur, colei che ha saputo donargli la pace...»

Con il cuore colmo di emozione, sguainai Excalibur e la puntai verso il cielo. La sua lama intatta brillò alla luce della luna, candida come una gigantesca perla.

È finita, è davvero finita... pensai, sopraffatta dalle emozioni, e abbassai la spada, improvvisamente troppo pesante.

Incredibile, cosa?

Dopo un lungo attimo di silenzio incredulo tutta la piana esplose per le grida del nostro piccolo esercito. I nostri compagni Leggendari, liberati dalla schiavitù di Mordred, si abbracciavano, ridevano, piangevano, ballavano, colmi di una gioia incontenibile.

Noi, invece, eravamo stranamente calmi e silenziosi.

Non eravamo solo stremati dalla battaglia, eravamo sopraffatti da tutto quello che avevamo vissuto, dagli orrori che avevamo visto.

Rob mi si avvicinò e mi prese la mano.

«Certo che è incredibile...» disse con un sorriso.

«Incredibile, cosa?» risposi guardandolo negli occhi.

«Beh, che noi due abbiamo avuto bisogno di una battaglia in cui rischiavamo di lasciarci le penne per trovare il coraggio...»

«Il coraggio? Di fare cosa? Questo, forse?» lo interruppi, alzandomi sulle punte e baciandolo sulle labbra.

«Ti amo, Angy Pendrake...» sussurrò lui, mettendomi una mano dietro la nuca e tirandomi dolcemente verso di sé.

Un istante dopo qualcuno tossicchiò imbarazzato, riportandoci alla realtà.

«Scusate se interrompo, piccioncini...» disse Hal guardandoci con un sorriso furbo e compiaciuto allo stesso tempo. «Dobbiamo tornare ad Avalon e portare con noi Mordred e Morgana. Devono essere giudicati dall'Alto Consiglio!»

«Sì, certo, lo so, ma...» replicai mentre avvampavo per l'imbarazzo.

«Il problema è... *come*! Morgana non può accedere al Mondo Magico» concluse Geira, terminando la frase per me. Mentre ci scambiavamo occhiate perplesse, allo zaino di Rob si ruppe una cinghia. Gli scivolò dalla spalla, la tasca anteriore si aprì e ne uscì la pergamena di Merlino, insieme a una discreta quantità di cianfrusaglie assortite e qualche calzino spaiato e probabilmente sporco.

«Accidenti!» bofonchiò Rob, affrettandosi a raccogliere le sue cose. «Perché capita solo a me?»

Tyra ridacchiò. «Perché sei il più maldestro?»

Rob aveva già la bocca aperta per replicare, ma io lo fermai. «Ehi, guardate! C'è scritto qualcosa sulla pergamena!»

Rob raccolse la pergamena. Incuriositi, ci stringemmo intorno a lui, certi che fosse un messaggio di Merlino.

«Avanti, leggi!» lo incalzò Hal, impaziente.

«Insomma, che c'è scritto, Rob?» Era da tanto tempo che Merlino e Viviana non comunicavano con noi attraverso le pergamene. Era un ottimo segno, voleva dire che la situazione era tornata alla normalità anche ad Avalon.

Rob si schiarì la voce. «Ora leggo, non soffocatemi!»

Stimatissimo Messer Robert Lockwood detto Rob,
sarebbe così cortese da riferire ai suoi compagni
che Lady Morgaine Le Fay può ora attraversare
senza impedimento alcuno i passaggi
per il Mondo Magico?
L'Assemblea degli Eroi Leggendari, saggiamente
guidata dall'illustrissimo Myrddin detto Merlino,
dopo attenta valutazione e con l'approvazione

di dama Nyneve del Lago detta Viviana,
ha sciolto i vincoli magici che tenevano lontana
la suddetta traditrice Morgaine Lefay
onde evitare la catastrofe più assoluta
(anche se alla fine l'abbiamo sfiorata lo stesso).
Cordialmente, l'Assemblea degli Eroi Leggendari,
saggiamente guidata dall'illustrissimo
Myrddin detto Merlino.

«Grandioso!» concluse Rob con aria stizzita. «E per dirmi questo era necessario rompermi la cinghia dello zaino?»

Aveva un'aria così avvilita che avrei voluto consolarlo, ma in quel momento le parole tutte svolazzi e fronzoli della pergamena cambiarono.

Picchiettai la spalla di Rob e gli indicai il nuovo messaggio con il mento.

«Che altro c'è?!» sbottò Rob.

Stimatissimo Messer Robert Lookwood detto Rob,
l'Assemblea degli Eroi Leggendari,
saggiamente guidata dall'illustrissimo
Myrddin detto Merlino,
ha ritenuto di dover ricorrere a rimedi estremi

per ottenere l'attenzione di un'orda di giovani scatenati,
presi dall'esultanza della vittoria.
Lei è stato estratto a sorte, non se la prenda, mio caro.
In ogni caso le ricordo che è disdicevole,
per l'erede di qualsiasi Eroe Leggendario,
darsi ai bagordi prima di aver processato il nemico.
Ergo, smettetela di agitarvi come pulci al mercato
e tornate senza indugio ad Avalon!
Cordialmente, l'Assemblea degli Eroi Leggendari,
saggiamente guidata dall'illustrissimo
Myrddin detto Merlino.

Quando smise di leggere, Rob aveva un'espressione ancora più irritata. «Orda di giovani scatenati? Ma vi rendete conto?» bofonchiò. «Che brontolone! Comunque sono riuscito a evocare l'arco di Robin, eh? No, così, lo dico tanto per... ah, e ho solo contribuito a salvare due mondi, ma... che sarà mai per un Leggendario!»

Appena pronunciate queste parole, sulla pergamena comparve un altro messaggio.

Stimatissimo Messer Robert Lokwood detto Rob,
onde evitare reciproci imbarazzi,

*mi permetto di ricordarle che percepisco
perfettamente OGNI parola pronunciata
in prossimità della pergamena.
PS: l'Assemblea degli Eroi Leggendari,
saggiamente guidata dall'illustrissimo Myrddin
detto Merlino, si congratula con Lei.
E ora dia una mossa a tutti, grazie.*

A quel punto Rob appallottolò la pergamena e la ricacciò in malo modo nel suo zaino (con una cinghia rotta), mentre noi eravamo piegati in due dalle risate.

Poi Rob si piazzò a gambe larghe fuori dal nostro piccolo gruppo e, ficcati gli indici tra le labbra, emise un fischio acutissimo di tutto rispetto.

Nonostante il chiasso, tutti si immobilizzarono, allarmati. Anche noi smettemmo all'istante di ridere.

«Merlino ci vuole ad Avalon!» tuonò Rob quando vide che aveva ottenuto l'attenzione generale. «Subito!» Dopodiché tornò da noi ciondolando.

«Che c'è?!» ribatté immusonito, in risposta ai nostri sguardi ammirati e sorpresi. «Scommetto che Robin lo faceva sempre per richiamare i suoi nella foresta di Sherwood.»

L'alba di un nuovo giorno

Ritornare ad Avalon fu una faccenda lunga e complicata. L'unico modo possibile era quello che avevamo usato per arrivare fin lì, e cioè attraverso il lago, che era distante diverse ore di cammino.

Per fortuna, per l'euforia della vittoria quella lunga camminata notturna si trasformò in una specie di disordinata e chiassosa scampagnata alla luce della luna.

Io però non riuscivo a unirmi ai festeggiamenti.

Camminavo in silenzio, sopraffatta dalle emozioni e dalla stanchezza.

Morgana avanzava impassibile, tra Tyra e Geira, con un'espressione indecifrabile sul viso. Anche se la tenevamo d'occhio, per lei non furono necessarie corde o vincoli magici, ci seguiva di sua spontanea volontà.

Miller e Amelie camminavano vicino a noi, in silenzio e a testa bassa. Provai pena per loro: Morgana, la loro mentore, che consideravano invincibile e immortale, aveva perso su tutti i fronti.

Mordred, invece, benché legato e sorvegliato a vista da Rob e Halil, continuava ad agitarsi, a insultare e a minacciare, e fu quasi necessario trascinarlo di peso.

«Adesso basta, ti metto a nanna...» disse Tyra esasperata, poi mormorò qualche parola incomprensibile e Mordred si afflosciò sulle ginocchia. Rob e Halil furono svelti ad afferrarlo. Furono costretti a trasportarlo a braccia, ma da quel momento il viaggio fu decisamente più tranquillo...

«Che ne sarà di Morgana?» mi uscì all'improvviso, e la mia voce suonò più preoccupata di quello che avrei voluto.

«Non ne ho idea e, sinceramente, non mi interessa...» rispose Tyra, dura. «E non dovrebbe interessare neanche a te, Angy. Non merita la tua compassione».

Io scossi il capo. «Forse hai ragione, ma dopo averla conosciuta quando era una bambina e aver assistito a parte della sua storia... beh, ecco... sono convinta che quello che è diventata, il male che ha compiuto, siano in parte dovuti al male che è stato fatto *a lei*, all'amore che non ha ricevuto quando ne aveva più bisogno. Certo, è colpevole, ma spero che Merlino e Viviana non siano troppo severi.»

Quando arrivammo al lago, mi resi improvvisamente conto di una cosa importante. «Ragazzi, Miller e Amelie non possono venire con noi nel mondo magico. Dobbiamo lasciarli andare!»

«Cosa? Dobbiamo lasciare andare quei due serpenti a sonagli? Senza neppure una ramanzina da parte dell'Alto Consiglio?» protestò Rob.

«Hanno già ricevuto la loro punizione: hanno eseguito gli ordini senza mai ragionare o chiedersi se fossero nel giusto e hanno fatto molti errori. Ora dovranno conviverci per tutta la vita» risposi io alzando le spalle.

«Morgana sa essere molto, molto persuasiva. Lo sappiamo bene, tutti noi» disse Tyra, mentre slegava loro i polsi. «Io non mi sento proprio di giudicarli...» concluse.

Finalmente liberi, Miller e Amelie si allontanarono senza salutare nessuno. Morgana non li degnò di uno sguardo... non le servivano più.

Era quasi l'alba, l'ora più favorevole ai passaggi nel

mondo magico. Per sveltire le operazioni, Tyra ci fece entrare insieme nel lago e aprì il passaggio per tutti contemporaneamente.

Pochi istanti dopo, ci ritrovammo a mollo nell'Oceano Magico, quieto come uno specchio, in cui si riflettevano i colori placidi e rosati del cielo. Allargai le braccia, respirai a fondo e, finalmente, sorrisi. Era l'alba di un nuovo giorno per Avalon, per il mondo reale e per tutti noi.

Non c'era più traccia della Tempesta d'Ombre che aveva infestato il mondo magico, né della barriera che Viviana aveva dovuto creare per proteggere Avalon.

Sulla superficie calma del mare galleggiavano come turaccioli decine e decine di imbarcazioni, in attesa di condurci al castello.

Aiutai Morgana a salire sulla barca più vicina e le appoggiai una coperta sulle spalle, mentre Hal e Rob caricavano di peso Mordred su un altra, ancora addormentato come un bambino.

Mentre salivamo verso il castello, scortati dai thrall, notai che Morgana si guardava attorno con occhi colmi di nostalgia. Il suo sguardo verde bosco si posava su ogni singola pietra del castello, su ogni melo e ogni ciottolo, come chi, dopo tantissimo tempo, ritrova un amico perduto... Ricordai che lei aveva studiato in quel castello, sotto la guida di Viviana, quando era una giovane incantatrice e il castello si trovava ancora nel mondo reale.

La prima cosa che notai, era che il castello era affollatissimo, colorato, pieno di vita, rumore, risate. Mi si allargò il cuore, dopo la desolazione in cui l'avevamo lasciato alla partenza.

Nugoli di Leggendari di ogni età si affollavano elettrizzati al nostro passaggio, acclamando la nostra vittoria. Allungavano il collo e si spintonavano per veder passare sia gli eroi vittoriosi che i nemici sconfitti, tanto che un cordone di thrall dovette arginarli, per permetterci di passare con i prigionieri.

Mentre un gruppo di thrall prendeva in consegna i prigionieri, Merlino ci accolse all'entrata del castello, con il Consiglio schierato, in alta uniforme.

Alcuni tra i più giovani allievi e allieve, ci posero delle corone di rami d'alloro e fiori intrecciati sul capo, in segno di omaggio, e ci porsero una coppa d'oro dall'aria antica, piena di un denso liquido dorato.

«Ma questa è... ambrosia?» sussurrai sbalordita a Rob.

«Non si preoccupi, madamigella Pendrake, è solo succo di mele!» rispose Merlino al suo posto. «È uno dei più alti onori che ad Avalon venivano un tempo offerti ai Leggendari vittoriosi, per dar loro il bentornati dopo una grande impresa. E voi miei giovani eroi, avete compiuto la più grande delle imprese e ottenuto una vittoria che tutti pensavano impossibile. Bentornati a casa, Guardiani della Soglia! Festeggeremo con i dovuti onori la vostra vittoria una volta che avremo celebrato il processo a Morgana e Mordred e le solenni esequie ad Artù. Il suo corpo è approdato ad Avalon la scorsa notte e finalmente potrà avere pace. Ora andate, sarete stanchi e affamati. I thrall si prenderanno cura di voi...»

Quella sera, una volta di più, rimasi sorpresa da come quei brontoloni dei thrall sapessero diventare premurosi e quasi affettuosi. Poi mi ricordai che i thrall erano in un certo senso emanazioni di Merlino, che li controllava direttamente con la sua magia. E mi resi conto che tutte quelle cure e quelle attenzioni venivano direttamente da lui.

Mi lasciai coccolare, godendo di ogni attenzione: cibo buono e nutriente, preparato con amore, un bagno caldo, lenzuola profumate di bucato, un letto morbido...

era tutto ciò di cui avevo bisogno, dopo tanta sofferenza.

La mattina dopo, subito dopo colazione, fummo tutti convocati per il processo, all'ombra del Grande Melo millenario, detto Cuore di Avalon, perché le sue radici si intrecciavano con le fondamenta stesse del castello.

Sospettavo che il legame fosse magico, al punto che senza quel sostegno l'intero castello sarebbe crollato. Le avevamo viste con i nostri occhi, io e i miei amici, quelle radici possenti, sporgere dalla volta della sala delle Armi Magiche, sepolta nelle profondità rocciose dell'isola...

Attorno ai lunghi tavoli di legno massiccio, che abbracciavano l'albero come due parentesi, era seduto l'Alto Consiglio al gran completo. Molti non li avevo mai visti, altri li riconobbi subito, come l'inconfondibile Zang Guolao, dalla lunghissima barba bianca, Pentesilea e Ippolita da Atlantide, la bellissima e misteriosa Tin Hinan, mitica regina dei Tuareg...

Delegazioni delle varie isole magiche erano sparse tra il pubblico, in spalti di legno appositamente costruiti per l'occasione. Riconobbi le tre Serene che ci fecero 'ciao ciao' con la manina guantata, e persino il tozzo e barbuto Weland che dava gomitate ai suoi vicini, vantandosi di averci conosciuto personalmente e di averci aiutato coi suoi consigli.

Gli occhi di tutti, però, erano puntati sui prigionieri. Morgana era seduta sul suo alto seggio di legno, eretta come una regina, con lo sguardo fisso davanti a sé, enigmatica e bellissima, come sempre. Mordred, poco più che un ragazzo con lo sguardo inquieto e i capelli scompigliati, era seduto, o per meglio dire stravaccato, sul suo scranno, dall'altro lato del cortile. Si guardava attorno con un sorrisetto strafottente che mi faceva venire voglia di correre lì e dargli due schiaffi. Non aveva le mani legate, ma due imponenti thrall gli stavano ritti al fianco e non lo perdevano di vista un secondo.

Io, Rob e gli altri eravamo seduti in prima fila come ci aveva ordinato Merlino, anche se io avrei preferito defilarmi nelle ultime. Avevo dormito poco e male. La verità, che non osavo confessare neanche a me stessa, era che ero in ansia per la sorte di Morgana e l'ultimo luogo in cui avrei voluto trovarmi era proprio quel cortile. Ma dovevo presenziare al processo, e come gli altri restai al mio posto.

A un cenno di Merlino, il mormorio della folla

tacque e il processo cominciò. Il primo a essere posto sotto giudizio fu Mordred. Innanzitutto furono letti documenti antichi che raccontavano gli eventi da diversi punti di vista, poi ci furono le deposizioni di testimoni. Quindi, a turno, gli Eroi delle varie isole magiche presero la parola, ma le domande per l'usurpatore erano sempre le stesse, le risposte sempre uguali, i toni di voce solenni e monotoni... le mie palpebre si fecero pesanti e senza accorgermi mi addormentai. Fu Rob a svegliarmi, quasi a udienza finita, con una leggera gomitata nel fianco. «Ehi, Angy spero di non essere io a farti questo effetto! Ultimamente quando sei seduta vicino a me non fai che dormire!» disse, strizzando un occhio. «Su, svegliati... siamo quasi alla fine!»

Mi sfregai gli occhi e prestai attenzione alle parole di Merlino. «Mordred di Camelot, quale giustificazione dai per tutti i crimini che hai commesso? Sei consapevole della sofferenza e del male che hai arrecato a centinaia di ragazzi innocenti, solo per soddisfare la tua sete di potere? Sei consapevole del dolore che hai arrecato alla tua famiglia? Sei consapevole del fatto che hai tradito il tuo popolo e il sangue del tuo sangue? Cosa hai da dire a tua discolpa?»

Mordred strinse i pugni lungo i fianchi e rispose, quasi sputando le parole.

«Voi non potete capire. Io ho solo cercato di riprendere quello che avrebbe dovuto essere mio fin dal principio!» disse con un tono velenoso che non lasciava intravedere alcun pentimento. «Arthur Pendragon era un incapace, troppo buono, troppo debole per essere re. Parlava di giustizia, ma per governare ci vuole forza. E pugno di ferro.»

Ogni volta che nominava Artù sentivo lo stomaco contorcersi. Come osava? Io l'avevo visto sul campo di battaglia, avevo assistito con i miei occhi alla furia insensata di Mordred, accecato dall'odio per Artù. Non c'erano scuse per quello che aveva fatto, per tutte le morti che aveva causato, per il dolore che aveva inflitto!»

Le mie dita si strinsero a pugno fino a sentire le unghie conficcarsi nei palmi. Rob se ne accorse, mi prese la mano e intrecciò le sue dita alle mie, prima che facessi qualche sproposito, come saltare alla gola dell'imputato.

«Piano, Angy... Mordred pagherà per quello che ha fatto...» mi sussurrò in un orecchio.

«Medrawt!» tuonò la voce di Morgana, come se provenisse dalle viscere stesse dell'isola.

Nel cortile, tutti trattennero il fiato.

Morgana era sempre seduta sul suo scranno, guardava Mordred con occhi di tempesta. «Io sono pronta a prendermi le mie responsabilità. Sono pronta a pagare per ciò che ho fatto!» disse nel tono deciso che conoscevo bene. Ma poi la sua voce si incrinò e aggiunse, affranta: «Credevo fossi diverso, Medrawt. Credevo di potermi fidare, di aver trovato in te una famiglia che mi accettava per ciò che ero... che sono. Ora abbi almeno l'umiltà di ammettere i tuoi errori.»

Mordred la guardò, incredulo. Poi, all'improvviso, balzò in piedi. «Tu!» la additò, pieno di collera, «Tu, sei sempre stata la mia spina nel fianco, non hai idea di quanto sia stato difficile sopportare le tue lagne! Non era certo per te, per la tua stupida causa in difesa di maghi e incantatori, che volevo sottrarre Camelot a quell'inetto di tuo fratello! Sei...»

Ma Viviana gli impedì di proseguire, tappandogli la bocca con la magia.

Morgana non aggiunse altro. Restò immobile, a testa alta, guardando dritto davanti a sé, dignitosa e apparentemente imperturbabile. Ma io ebbi l'impressione di aver visto una lacrima brillare sulla sua guancia...

A quel punto era chiaro che Mordred non provava alcun rimorso per quello che aveva fatto. Lo sdegno nel cortile divenne tangibile e un coro di voci risentite e scandalizzate si alzò tra i Leggendari, soprattutto tra quelli che erano stati suoi prigionieri, propagandosi come un'onda da una fila all'altra.

Il verdetto

Merlino, con un gesto imperioso della mano riportò di nuovo il silenzio nel cortile.

«Mordred di Camelot!» tuonò con voce solenne, che risuonò forte e chiara in tutto il cortile, fino all'ultimo degli spalti. «Per tutti i tuoi crimini, per l'alto tradimento di cui sei accusato e per il tuo cuore nero e corrotto che non conosce pentimento, questa assemblea ti condanna all'esilio sull'Isola dei Dimenticati, un luogo sperduto dell'Oceano Magico, di cui nessuno, a parte dama Nyneve, conosce l'ubicazione. Lì resterai in eterno, finché di te non si perderà anche il ricordo. La sentenza sarà eseguita immediatamente.»

Merlino distolse lentamente lo sguardo da Mordred, come se non potesse più sostenere la sua vista, e aggiunse, rivolto alla folla, con un tono che mi parve infinitamente stanco: «Andate, ora. Questo processo è concluso e il colpevole è stato condannato all'eterno oblio. Possano le sue vittime trovare pace e lui pentimento per le sue azioni.»

La folla iniziò a sciamare dal cortile, commentando rumorosamente il processo e la sentenza.

«Un momento...» volle accertarsi Rob. «Se lo spediscono su un'isola, non è che poi Mordred scappa da lì e ce lo ritroviamo nel refettorio di punto in bianco?»

Rob aveva la straordinaria capacità di riportarmi il buon umore. Lo presi sotto braccio e gli scoccai un bacio su una guancia. «Perché, arciere-sempre-affamato, hai paura che ti finisca tutte le sfogliatine di mele?»

«Ah, ah, ah!» fece lui con una risatina sarcastica, «adorata-spadaccina-del-mio-cuor... dicevo refettorio per dire un posto qualunque di Avalon!»

«Certo. Il posto che ami più.»

«La domanda però è lecita, sfogliatine di mele a parte...» intervenne Hal. «Voglio dire, la logica suggerisce così, ma ho sentito dire che l'isola è circondata da perenni tempeste, così violente che senza magia nessuno può andarsene, a meno di schiattare annegato.»

«E dato che Mordred ora non è più uno stregone...» suggerì Tyra.

Rob annuì. «Ho capito. Mordred resterà davvero lì per sempre, allora.»

«Esatto» confermò Geira. «Si chiama Isola dei Dimenticati proprio per questo, non per niente è stata creata per esiliarvi le persone malvagie, anche se da quello che so Mordred sarà il primo ad andarci...»

Se da una parte la notizia mi rincuorò, dall'altra mi gettò in uno stato di maggiore apprensione. Era questa la sorte che spettava anche a Morgana? L'esilio su un'isola remota con il proprio nemico? Non riuscivo nemmeno a pensare a una punizione così terribile.

Ma la risposta alla mia tacita domanda non arrivò quel giorno. Il processo era durato così a lungo che l'ora di pranzare era passata da un pezzo, perciò l'assemblea decretò che Morgana sarebbe stata interrogata in un altro momento.

Mentre dama Nyneve si occupava di trasportare Mordred sull'Isola dei Dimenticati, noi ragazzi fummo spediti in refettorio. Finito il pranzo (il più caotico da quando ero entrata nell'Accademia), Galahad ci informò che dovevamo rimanere confinati nei nostri dormitori. Potevamo fare quello che volevamo, ovviamente nel rispetto delle regole, ma per quel giorno ci era vietato uscire.

Non appena Galahad finì di parlare, un coro di dissensi si levò forte e chiaro nel salone.

«Nooo, ma come?!»

«Perché?!»

«Non è giusto!»

«Vogliamo assistere al processo di Morgana!»

Galahad dovette faticare parecchio, prima di sedare il malcontento, almeno finché non si avvicinò a Rob per chiedergli qualcosa.

Lui salì in piedi sulla panca, si ficcò gli indici in bocca ed emise lo stesso fischio acuto che aveva prodotto nella piana di Camlann. Tutti si zittirono all'istante e Rob saltò giù dalla panca.

«Grazie!» esclamò Galahad.

«Quando vuoi, amico!» si gongolò Rob. Poi notò che lo stavo fissando sbalordita: «Pare che il mio fischio abbia fatto colpo sull'Alto Consiglio... Non sfugge niente, a quelli!»

«Ti daranno un'onorificenza e il titolo di Gran Fischiatore?» sogghignò Hal.

Galahad allargò le braccia, sollevando platealmente gli occhi al cielo. «Siete alquanto irrispettosi dell'autorità dell'Alto Consiglio, per essere degli Eroi Leggendari pluridecorati! E ora filate dritti in dormitorio, o l'Alto Consiglio farà in modo di farvene pentire!» concluse, dando uno scappellotto ad Halil, ma mentre si allontanava vidi che sorrideva di nascosto, visibilmente compiaciuto dei suoi allievi preferiti.

Borbottando e strascinando i piedi per protesta, ci rassegnammo a passare il pomeriggio in dormitorio.

Nessuno di noi riuscì a vedere Mordred che veniva trasportato con la magia sull'Isola dei Dimenticati da dama Nyneve, nemmeno sbirciando dalle fessure delle torri o dalle finestre del dormitorio. Ma soprattutto, io non avrei assistito al processo di Morgana.

Passai il resto del pomeriggio tormentandomi, seduta a gambe incrociate sul letto.

Geira e Tyra erano con me ma io non riuscii a farmi distrarre dalla loro compagnia nemmeno quando Geira tirò fuori dalla sua cassapanca un mazzo di carte e Tyra fece ballare il charleston a Talos.

Le cose non andarono meglio a cena, né dopo: perché nessuno ci informava sull'esito dell'interrogatorio? E perché, poi, non avevamo potuto assistere?

Ero così irrequieta che, sedendomi al tavolo, feci inciampare un thrall che reggeva un enorme vassoio di ravioli al vapore dono di Zhang Guolao. L'intero refettorio scoppiò a ridere: addio dignità! Addio reputazione di salvatrice dei due mondi!

E siccome disgraziatamente avevo fatto inciampare il thrall più permaloso di tutto il castello, fui costretta a occuparmi personalmente della pulizia del refettorio e della lucidatura della sua armatura, sporca di gamberetti e salsa di soia.

Molte ore dopo, varcai la soglia del dormitorio con pezzi di raviolini ovunque, soprattutto tra i capelli.

Mentre mi davo una sistemata, sentii Geira e Tyra chiacchierare come nulla fosse. Ma che accidenti era preso a tutte e due? Specialmente a Tyra, lei era un'incantatrice, non le importava niente di Morgana? Così, quando per l'ennesima volta le sentii ridere di una sciocchezza qualsiasi, sbottai: «Ma come fate, voi due?»

Geira si voltò a guardarmi, interrogativa: «Eh?»

«Oh, insomma!» esclamai frustrata, gettandomi sul letto a faccia in giù.

«Che ti prende, Angy?» mi domandò Tyra, sedendosi accanto a me.

Dopo un secondo avvertii il letto muoversi: Geira si era seduta sull'altra sponda.

«Lo so, non dovrei essere in apprensione per Morgana, ma non ci riesco...» ammisi senza alzare la faccia dal cuscino. «Anche lei ha fatto degli errori, eppure non riesco a togliermi dalla testa quello che ho visto... abbiamo visto...» mi corressi «...nel passato.»

«Ti riferisci al proclama di Artù, vero?» domandò Tyra.

«Quello in cui bandiva maghi e incantatori dal regno» proseguì Geira in tono gentile.

Annuii.

«Oh, Angy...» sentii sospirare Tyra. «Non credere che Geira, Hal, Rob e io non ci abbiamo pensato.»

Mi voltai sulla schiena e solo allora notai le occhiaie che segnavano il loro viso. Mi diedi della stupida: ero così concentrata su me stessa da non accorgermi che anche i miei amici erano preoccupati per Morgana! La loro reazione non era indifferenza, stavano solo cercando di restare calmi e di non trasmettere il proprio nervosismo agli altri. Del resto era inutile fasciarsi la testa prima di essersela rotta, un modo decisamente più maturo del mio di aspettare l'esito di un processo così complicato.

Quando tutto questo mi fu chiaro, mi sentii finalmente libera di condividere i miei dubbi. Tyra e Geira mi ascoltarono fino a notte fonda, finché il sonno ebbe la meglio su di loro. Sbadigliai anch'io in modo teatrale e le incoraggiai ad andare a dormire; poco dopo il dormitorio femminile sprofondò nel silenzio.

Parlare con loro mi aveva aiutata a sentirmi meglio, ma dovevo fare ancora una cosa e volevo farla da sola. Così, quando capii che stavano dormendo profondamente, scostai le lenzuola e scesi dal letto cercando di non fare rumore. Evitando la sorveglianza di un paio di thrall che sostavano sempre in corridoio, sgattaiolai fuori dal castello a piedi scalzi e camicione da notte, superai il cortile interno, quello d'armi e infine mi misi a camminare lungo il Viale dei Meli.

L'aria della notte era pungente e la inspirai a fondo per cercare di schiarirmi le idee. Non c'erano thrall, fuori dal castello, così io potei passeggiare indisturbata tra i rigogliosi alberi di mele, domandandomi ancora una volta se stavo facendo la cosa giusta. La luna era alta nel cielo e rischiarava i miei passi, io però vagavo come un'anima in pena. Ero uscita senza permesso per parlare con Morgana un'ultima volta, ma ora avevo il cuore in tumulto e mi sentivo combattuta. Che fare? Cercarla o tornarmene a letto? Il problema era che non avevo proprio idea di dove fosse. E anche se l'avessi saputo, ero certa che Merlino, Viviana e i due cavalieri fossero con lei. Impossibile raggiungerla, non me l'avrebbero mai concesso.

Mentre ragionavo, mi ritrovai quasi all'esterno delle mura, e lì le vidi: sedute su una panca di pietra proprio oltre l'ingresso, c'erano due figure esili. Una era ammantata da un leggero alone argenteo, come se riflettesse gli eterei raggi della luna, l'altra invece sembrava assorbire il manto scuro e vellutato della notte. Erano Viviana e Morgana, sedute l'una accanto all'altra come due amiche di lunga data. Ai margini della scogliera, guardavano lo spettacolo dell'Oceano Magico in cui si riflettevano miriadi di stelle.

Ma che ci facevano lì? Morgana non era prigioniera?

Restai al riparo, nascosta dietro l'arco d'ingresso e, spinta da una bruciante curiosità, provai a cogliere i loro discorsi, ma Viviana e Morgana parlavano così a bassa voce, come due vecchie amiche, che mi fu impossibile distinguere le loro parole. Una cosa però era certa: si erano riappacificate. Come era possibile? Secoli di rancori non si cancellano in così poco tempo... e poi restava la faccenda del processo. Morgana quindi non era stata condannata?

Sarebbe stato bello poter capire qualcosa di più della situazione dai loro discorsi, ma nascosta là dietro non ne avrei cavato un ragno dal buco e decisi di andarmene.

Stavo giusto per farlo, quando sentii la voce cristallina di Viviana. «Madamigella Angelica Pendrake, ora direi che puoi uscire da lì.»

Per poco non inciampai. Mi bloccai con un piede sollevato e le spalle contratte. «Ehm...» farfugliai, imbarazzata. Rendendomi conto che ormai era inutile fingere, uscii allo scoperto con le guance paonazze.

«Sì? Dice a me?»

Viviana si alzò inarcando un sopracciglio. «Mi sembra che tu sia l'unica, qui, a chiamarti Angelica Pendrake. O sbaglio?»

«Nossignora...» sospirai a testa bassa. Poi sollevai il mento e affrontai i loro sguardi, consapevole che sarebbero stati di biasimo. Invece, ancora una volta, rimasi sorpresa: Viviana stava sorridendo benevola e lo stesso faceva Morgana, anche se nei suoi occhi intravidi un'ombra di malinconia.

Dato che nessuna delle due sembrava voler aggiungere altro, presi un respiro profondo e provai a spiegarmi. «Non riuscivo a dormire...» Che era una mezza verità. Viviana aspettava tranquilla. «E quindi... oh, uffa!» Non ero più una bambina di cinque anni. «La verità è che ero preoccupata, volevo parlare con Morgana un'ultima volta, dirle... non lo so, con esattezza, volevo solo parlarle.»

«Beh, sono qui...» replicò Morgana. Sembrava più vecchia di Viviana, malgrado fosse sua allieva. In ogni caso mi parve di cogliere del divertimento, nella sua voce. Poi però si fece seria. «Anch'io, in realtà, volevo parlarti. E spero che non sarà l'ultima volta.»

Un po' confusa, le chiesi: «Ma come, non ti hanno esiliata?»

«No. Non l'hanno fatto.» rispose lei umilmente.

«Io... non capisco. Cioè, sono sollevata, però non capisco.»

Viviana mi rivolse un piccolo sorriso. «Vedi, giovane Pendrake, le persone cambiano, nel corso degli anni. Alcune in meglio, altre in peggio.»

«Altre invece non cambiano affatto...» aggiunsi, cupa, riferendomi a Mordred.

«Esatto...» confermò Viviana.

«Ma tu...» iniziai, girando uno sguardo eloquente su Morgana, senza però riuscire a proseguire.

«Morgaine si è pentita davvero degli errori che ha commesso» rispose Viviana per lei. «Ha raccontato all'assemblea ciò che è realmente accaduto quel terribile giorno del massacro, a Camlann... e lo ha raccontato a me. Avevo avvertito la sua traccia magica non perché lei fosse totalmente presa dalla sete di potere da dimenticarsi di cancellarla, ma perché lei voleva che la ritrovassi e l'aiutassi a guarire Artù. Morgaine aveva bisogno di me, voleva già pentirsi allora. Però io...» Viviana tacque un istante e i suoi occhi di cielo si velarono di tristezza. «Io non l'ho lasciata parlare e ho tratto le conclusioni sbagliate. Così le ho impedito di accedere al Mondo Magico, relegandola nel mondo reale.»

Ero sbalordita, completamente senza parole. Ma quello che Viviana aggiunse dopo mi stupì ancora di più.

«Oggi ho detto all'assemblea che se volevano condannare Morgaine, avrebbero dovuto condannare anche me. Perché io ho contribuito a seminare rancore nel cuore dell'allieva a cui ero più affezionata, le ho strappato via l'unico legame che le era rimasto con le persone che amava. Se l'avessi ascoltata, quel giorno in riva al lago, la storia sarebbe stata diversa.»

Morgana si alzò, affiancandosi a Viviana. Si guardarono un lungo istante, uno sguardo carico di mille parole silenziose, come quello di due sorelle perse e ritrovate.

Poi Morgana si rivolse a me. «Angelica, quello che volevo dirti è che mi dispiace dal profondo del cuore per tutto quello che ti ho fatto passare, per il male che ho fatto a te e ad altri ragazzi. Il mio cuore era troppo ferito e pieno di rancore per capire che stavo sbagliando. Spero che vorrai perdonarmi...» aggiunse piano. «Merlino e Viviana mi hanno concesso di vivere qui ad Avalon per il resto dei miei giorni... E visto che qui il tempo scorre più lentamente, vorrei averne il più possibile per conoscerti meglio. Me lo permetterai? Sei la mia famiglia, ora.»

A lungo restai impietrita a guardarla. Sembrava così diversa, così... vera! Come l'avevo conosciuta nel passato. Lanciai un'occhiata a Viviana, che annuì per incoraggiarmi.

«Io... sì» risposi con un filo di voce, e fu l'unica cosa che riuscii a dirle. Poi mi venne in mente ciò che avrei voluto chiederle e a cui avevo pensato da quando avevo distrutto la Pietra. «Morgana, c'è ancora una cosa che non capisco: perché hai esitato, nel campo di Camlann? Avevi tra le mani la Pietra, la Luna Rossa era al suo culmine e tu avresti potuto completare l'incantesimo che ti avrebbe resa la maga più potente del mondo... eppure hai esitato. Perché?»

Morgana tornò a sorridere. «Ma come, sei stata proprio tu a farmi cambiare idea!» mi rivelò.

«Io?»

«Certo. La Pietra non mi è semplicemente caduta, l'ho lasciata cadere. Perché nell'istante in cui stavo per usarla, mi sono ricordata di un gruppo di ragazzi che erano stati gentili con me quando ero solo una bambina poco amata. Quel ricordo... non pensavo nemmeno di averlo. Poi ho capito. Eri tu, insieme ai tuoi compagni. Nonostante fossimo nemici, voi avete trovato il tempo e il modo di mostrarmi comprensione. È stato questo a farmi esitare. E le parole di Morded, poi, hanno fatto il resto. Io non sono mai stata e non sarò mai come lui!»

Mi sfiorò una guancia, lieve e premurosa. «Assomigli così tanto a mio fratello... intendo qui dentro.» E indicò il mio petto, proprio come, molto tempo prima, aveva fatto anche Viviana. «Il senso di giustizia che alberga nel tuo cuore è forte, come lo era nel cuore di Artù.» Ma aggiunse, notando che ero turbata. «Che cosa c'è?»

«Niente, è solo... non voglio ripetere gli stessi errori di Artù e agire in nome di una giustizia assoluta se poi non sarò in grado di vedere i bisogni di ognuno.»

«Questo non accadrà...» replicò Morgana. «Artù era un re e non poteva ascoltare soltanto il proprio cuore, ma tu sì, sei libera, puoi farlo. Del resto, non lo hai appena fatto?»

«Ehm... in che senso?»

Questa volta fu Viviana a rispondere. «Poco fa ti stavi chiedendo se disubbidire e parlare con la tua acerrima nemica fosse la cosa giusta da fare. Eppure sapevi la risposta, perché alla fine sei qui nonostante il divieto. Hai cercato il dialogo, invece di accettare solo i fatti.»

«Ah, sì!» ridacchiai imbarazzata. «A proposito, mi scusi se sono uscita senza permesso.»

«Per questa volta.»

A quel punto Morgana fece una cosa che non aveva

mai fatto: mi strizzò un occhio con aria complice. «Sei davvero una Pendrake!»

Sollevata, stordita e con il cuore traboccante di emozioni, poco dopo tornai al dormitorio, mentre la luna era alta nel cielo e due vecchie amiche tornavano a sorridersi sotto un cielo trapunto di stelle.

La mattina dopo affrontai le solenni esequie di Artù con la pace nel cuore: fratello e sorella si erano riuniti e anche se non potevano più parlarsi né chiedersi perdono, sapevo che Morgana nel suo cuore aveva fatto pace con sé stessa e con lui. Ero certa che anche Artù, se fosse stato vivo, l'avrebbe perdonata.

Il corpo di Artù, vestito con una tunica scarlatta e circondato di fiori candidi, appariva sereno e bellissimo.

Parsifal e Galahad, in armatura, erano ai suoi lati, con spada e lo scudo, come guardie d'onore.

Morgana mi volle accanto a sé, come erede di Artù, quando le sue spoglie di suo fratello furono solennemente deposte nella cripta di Avalon, adorna di fiori e illuminata a giorno dalle fiaccole.

Il posto che fu scelto per lui era accanto alla statua che lo rappresentava in piedi, con Excalibur in pugno, fiero e pronto ad entrare in azione. Lì accanto, ardeva una lampada che sarebbe rimasta sempre accesa, per ricordare il suo valore e il suo amore per la giustizia.

Lasciai quel luogo solenne e silenzioso con il volto rigato di lacrime e con una promessa nel cuore: avrei fatto di tutto per essere la sua degna erede.

Quel giorno non partecipai ai festeggiamenti.

Non mi feci vedere ai tornei in onore di Artù, né al banchetto, né tantomeno al ballo nel cortile del castello, alla luce dalle fiaccole.

Non perché fossi triste, avevo semplicemente bisogno di stare da sola e di lasciare sedimentare le emozioni e gli eventi di quei giorni.

Mentre ero sugli spalti a guardare le stelle e a respirare il profumo della notte, le voci dei miei compagni, le risate e la musica arrivavano a tratti fino a me, portate dal vento. Mi ritrovai a sorridere, profondamente grata di essere viva.

Fu esattamente in quel momento che Rob arrivò, con la sua felpa preferita in mano.

«Mettiti questa, Angy. Fa freddo quassù. Non vorrei proprio che la mia Leggendaria preferita si prendesse un brutto raffreddore... come faremmo se domani dovessimo di nuovo salvare il mondo?»

Sorrisi, infilandomi quella vecchia felpa sformata.

«Se domani dovessimo di nuovo salvare il mondo ce la faremmo, perché non sono sola. Ci sono i miei amici. E ci sei tu, Robert Lockwood.

Epilogo

Erano passati esattamente otto anni dal giorno del mio primo passaggio ad Avalon.

Era ancora buio e io mi trovavo su un auto scalcagnata, davanti a un delizioso cottage sperduto nella brughiera, seduta ad aspettare Rob, che come sempre era in ritardo.

Era il mio compleanno e avevo deciso che quello era il giorno giusto per fare una cosa importante, che avevo in mente da un po'. E per riuscirci avevo organizzato una vacanza in un posto speciale.

Del resto ce l'eravamo proprio meritata una vacanza, Rob e io, dopo mesi e mesi di studio. Eravamo vicini alla tesi, lui in legge e io in storia medievale e svagarsi un po' prima dello sprint finale mi era sembrata una buona idea. Avevamo scelto la Cornovaglia, Tintagel Castel, il luogo in cui nacque Artù.

La mattinata era perfetta: il cielo era sereno, di un azzurro sconvolgente, con soltanto qualche nuvoletta candida di passaggio.

Il mio sguardo si perdeva nella brughiera tinta di oro, verde e arancio di un'alba autunnale stranamente priva di nebbia. Che colori magnifici, persino il grazioso cottage che avevamo affittato per la notte ne era totalmente immerso. Mi sarebbe mancato, un simile posto...

«Conosco quello sguardo!» esclamò Rob, aprendo di colpo la portiera e salendo in macchina tutto allegro, con in mano una fetta di torta.

Per lo spavento, sobbalzai sul sedile passeggeri.

«Stai pensando che non vuoi andartene, che ti piacerebbe abitare in un cottage così e che questa vacanza è stata fin troppo breve... e come potrebbe essere altrimenti, in compagnia di un bel pezzo di marcantonio come me?» snocciolò con sicurezza, mettendo in moto.

«No, era lo sguardo esasperato di chi stava pensando di partire senza il bel pezzo di marcantonio!» ribattei con una smorfia.

Lui mi rivolse un'occhiata esageratamente drammatica. «Non l'avresti mai fatto!» mi accusò con il broncio.

«Mmh... chi può dirlo?» risi divertita.

Intanto la nostra auto a noleggio tutta sgangherata sussultava e sferragliava sul sentiero sconnesso. Avevo la colazione che faceva le capriole, da qualche parte nello stomaco.

«Mi spieghi perché non hai preso la comodissima, meravigliosa, liscissima statale?» gli chiesi dopo qualche minuto di quegli sballottamenti.

Rob si accigliò. «Per farti ammirare il paesaggio all'alba, milady. Mi hanno detto che questa è la strada panoramica più bella della Cornovaglia... ovviamente non mi hanno detto che era anche la più disastrata! Non so se l'auto reggerà.»

«Credo che lo scopriremo presto!» esclamai, reggendomi alla maniglia sopra la portiera.

«Ehi, Angy, non ti sembra familiare tutto questo fracasso?» ridacchiò Rob all'improvviso.

«Ora che me lo fai notare, mi ricorda qualcosa...»

Ci scambiammo un'occhiata. Poi scoppiamo a ridere. «I thrall di Avalon!»

Così, tra scherzi e risate, e sferragliando a mo' di thrall, arrivammo al castello di Tintagel. Dopo aver affrontato una scalinata di pietra lunga un milione di chilometri, mi sistemai con le gambe a penzoloni su un cumulo di rovine a prendere fiato. Con il vento che gli scompigliava i capelli e le guance arrossate dalla salita, Rob venne a sedersi accanto a me.

Per un po' restammo in silenzio, guardandoci attorno. Mi sentii stringere il cuore alla vista di quell'imponente castello ridotto soltanto a un mucchio di rovine. Per un attimo desiderai di poter srotolare ancora una volta il filo del tempo e vedere quel posto in tutto il suo splendore, pieno di vita...

Ripensai a Hal, Geira e Tyra. Sarebbe stato bello se fossero stati lì con me in quel momento, ma quel viaggio era solo per me e Rob, per quello che avevo in mente di fare quel giorno. Comunque li avrei rivisti presto a Los Angeles: tra meno di un mese era in programma l'inaugurazione dell'atelier di Tyra. Non vedevo l'ora... era da tanto che non riabbracciavo i miei amici!

Conoscendola, ero certo che Tyra avesse organizzato tutto in grande stile. Immaginavo già la faccia di Geira, poco avvezza agli eventi sociali. Lavorava per un'importante organizzazione internazionale ed era in missione di pace.

Ma aveva promesso di tornare. Ma quello che più aveva stupito tutti quanti era stato Hal. Il nostro scavezzacollo e inguaribile dongiovanni era diventato papà, e sarebbe venuto con la sua famigliola al completo. Non vedevo l'ora di coccolare Artie, il mio bellissimo figlioccio.

«Ho preso una decisione» disse Rob di punto in bianco, distraendomi dai miei pensieri.

«Ah, sì? Quale?»

«Tu sai perché mi sono iscritto a Legge, vero?»

«Per aiutare le persone innocenti a tirarsi fuori dai guai?»

«Sì, anche...» accennò Rob. Poi le sue guance si colorarono ancora di più. «Ma non solo. Voglio essere diverso dai miei genitori. Voglio dire... li capisco. Ora che sono cresciuto, non mi sento di biasimarli se non sono sempre stati presenti. Il loro lavoro è duro e complicato.»

Annuii: per i miei era lo stesso discorso. Poi gli feci notare che anche lui sarebbe diventato un avvocato.

«Sì, però... quello che sto cercando di dire è che ci sono persone che non possono permettersi di pagare chi li difenda. Non mi sembra giusto. Insomma, io voglio esserci per loro. Non importa se non potranno pagarmi.»

«Sono fiera di te, Rob! Vorrà dire che ti pagheranno

con dell'autentica gratitudine. Sarai un grande avvocato, signor Lockwood!» E per sdrammatizzare un po', aggiungo: «Un avvocato squattrinato, ma pur sempre grande!»

Rob mi abbracciò forte, felice che io lo stessi sostenendo. «E tu sei pronta, per la tua, di decisione?» mi domandò.

In realtà ero ancora combattuta. «Prontissima!» esclamai cercando di mascherare la tensione.

Così ci risalimmo in macchina, con buona pace delle nostre ossa sbatacchiate, e dopo quasi un'ora arrivammo al lago di Dozmary Pool. A dire il vero è più uno stagno che un lago, ma è comunque suggestivo... se sai quello che sanno i Leggendari!

Intorno non c'era altro che brughiera, fiori di campo, uccelli migratori e vitelli al pascolo.

«Si dice che sia un lago senza fondo...» buttò lì Rob.

«Ah, ah. Se è per questo si dice anche che fosse la dimora di una misteriosa dama, una certa Nyneve detta Viviana...» divagai, fingendo indifferenza.

Rob scosse la testa. «Che sciocchezze, queste leggende britanniche...»

«Davvero, un mucchio di sciocchezze!» sogghignai.

Ma era arrivato il momento. Sentivo che era quello giusto. Rob lo capì e fece sì con la testa. «Ti aspetto qui.»

disse, posandomi un bacio lieve sulla guancia.

«D'accordo...» mormorai.

Con ogni probabilità, quella sarebbe stata l'ultima volta che avrei impugnato Excalibur. Ecco perché avevo scelto un luogo tanto speciale.

Mi avvicinai alla sponda del Dozmary Pool. Il sole era alto, e i suoi raggi illuminavano la superficie del lago di mille luccichii, mentre una brezza gentile increspava l'acqua a tratti, ora vicino, ora più lontano, come se rabbrividisse.

Socchiusi gli occhi, sollevai le mani e, con un respiro profondo, chiamai Excalibur. Intravidi un breve lampo dorato sotto le palpebre, e le mie dita strinsero sicure la spada del re.

Quando riaprii gli occhi, mi sorpresi a sorridere.

Era davvero bella, la mia spada, forgiata ad arte non per uccidere, ma per guidare. Non era un'arma, ma un simbolo di giustizia e di virtù.

L'ammirai un'ultima volta, saggiandone peso ed equilibrio. Con una scioltezza che era frutto di anni di esercizio, provai allunghi, fendenti, parate, ascoltando il suono vibrante della sua lama.

Poi con un altro respiro profondo, tirai indietro il

braccio per darmi slancio e gettarla nel lago, il più lontano possibile, ma mi bloccai di colpo. Avevo notato poco lontano dalla riva una roccia di granito chiaro, simile a un piccolo scoglio. E in quel momento capii che cosa dovevo fare, per chiudere il cerchio. Entrai nell'acqua, raggiunsi la roccia e conficcai la spada fino all'elsa. Sarebbe rimasta lì, pensai, in attesa di un altro erede, pronto a raccoglierla, insieme alle responsabilità che questo comportava.

Mi asciugai gli occhi con la manica della felpa, poi sorrisi. Ora potevo tornare a respirare.

Per un attimo, come sempre, mi chiesi se avevo fatto la cosa giusta, ma subito mi tornano in mente le parole che Viviana aveva pronunciò otto anni prima, quando sgattaiolai fuori dall'Accademia senza permesso: «Non hai forse già preso la decisione giusta?»

Ridacchiai tra me. *Mi conosci bene, Viviana!*

E mi conoscevano bene anche Merlino e Morgana. Sono stati loro tre, oltre a Rob, i primi con cui ne avevo parlato. All'inizio temevo che non mi approvassero, invece mi avevano sostenuta e compresa. Da un po' avevo capito qual era *la cosa giusta*: impegnarsi a cambiare il mondo reale. Qui, nella vita di tutti i giorni, c'era bisogno di me, e di tanti altri 'eroi', silenziosi e invisibili, coraggiosi e generosi, che si dessero da fare per cambiare davvero le cose. Questo nostro mondo, malato di inquinamento ed egoismo, ne aveva e ne ha ancora davvero bisogno.

Anche se all'inizio temevo che non mi approvassero, invece tutti mi avevano sostenuta e compresa. Avevano detto che io ero e sarei sempre stata la Leggendaria erede di Artù, e che sarei stata sempre la benvenuta ad Avalon.

Sentii le braccia di Rob avvolgermi le spalle. «Tutto ok?» mi sussurrò all'orecchio, dolcemente.

«Tutto ok» risposi, accoccolata tra le sue braccia.

Excalibur era ben protetta, in attesa di un nuovo eroe. Mi sciolsi piano dall'abbraccio e osservai la luce del giorno accendere il viso malandrino di Rob: c'era una vita entusiasmante, nel mondo reale, piena di ostacoli, pericoli, sfide, gioie immense, sorprese e conquiste che aspettava solo me, e io intendevo viverla fino in fondo.

«Prossima tappa: tesi di laurea!» esclamai con la voce un po' incrinata dall'emozione. Rob mi rispose con un largo sorriso, poi le nostre dita si intrecciarono.

C'era, e c'è, tanto da fare, insieme, per cambiare il mondo.

Indice

Prologo - *la storia fino a ora*	1
Il favoloso piano B	5
Ancora bugie... e viaggi!	19
La "nostra" meravigliosa Tyra	33
Uramaki spappolati e vera amicizia	45
Come becchini a una festa di compleanno	59
Vedere per credere...	71
Nove giorni per salvare il mondo!	79
Speranza	89
Persone strane	99
Uno strambo, barcollante esercito	111
La Dea Luminosa	119
Oltre la tempesta d'ombra	133
Una lezione di alta magia	143
Un'importante rivelazione	155
Inferno, Canto XXXII, 61-62	167
Servirebbe un miracolo!	175
A volte, le leggende sono solo leggende...	193
Cose da perdonare... e da perdonarci!	207
La via per l'Oltretomba	219
Cogliere l'attimo	225
Mi chiamo Morgaine	241
Il tuo sangue è anche il mio...	259
Per Excalibur! Per il nostro Re!	273
Una sconvolgente sinfonia di morte	281
Tempo di giustizia	291
Libera, e pronta a combattere	297
Tutti con te!	303
Incredibile, cosa?	309
L'alba di un nuovo giorno	315
Il verdetto	327
Epilogo	345

Finito di stampare
nel mese di Ottobre 2019
Da La Tipografica Varese S.r.l. - Varese